Strych Świata

Piotr Wojciechowski

Strych Świata

WIELKA LITERA

Projekt serii
WKDesign

Opracowanie graficzne okładki
Janusz Staszczyk

Zdjęcie na okładce
Diana Debord/Arcangel

Zdjęcie autora
Włodzimierz Wasyluk

Redakcja
Anna Jutta-Walenko

Korekta
Jadwiga Piller

Wielka Litera Sp. z o.o.
ul. Kosiarzy 37/53
)2-953 Warszawa

Skład i łamanie
Piotr Trzebiecki

Druk i oprawa
Białostockie Zakłady Graficzne SA

ISBN 978-83-8032-130-4

Bywają dzieła, które nie potrzebują żadnej przedmowy. Ta lekko zbójecka powieść zalicza się właśnie do dzieł takowych

Tak myślałem, gdy skończyłem tę książkę. Potem jednak upłynęło wiele miesięcy, a także wiele krwi.

I teraz, gdy nie bez wahania godzę się na druk tego zbójecko-błazeńskiego dzieła, muszę z największą powagą zapewnić Czytelniczki i Czytelników, że pisząc o zakonnicach, księżach i biskupach, myślałem o nich z szacunkiem i miłością, pisząc o żołnierzach, oficerach i generałach różnych wojsk, starałem się żartować z nich jak najżyczliwiej, pamiętając o ich męstwie i zasługach, chyląc czoło przed tymi, którzy padli w boju albo odnieśli rany. Pisząc o ludziach Koranu, o sunnitach i szyitach, nie zapominałem, że są, jak i ja, Ludźmi Księgi, że Abraham jest praojcem dla mnie i dla nich. Myślę też, że ponad przelaną krwią, ponad czynami i słowami nienawiści, ponad nieufnością i lękiem wisi nad nami wszystkimi pytanie: po co Duch Święty posłał na spotkanie nam, wierzącym w Biblię, braci naszych wierzących w Koran? A to pytanie musi też mieć swoje lustrzane odbicie: po co Allah pozwala, aby jego wyznawcy sąsiadowali od wieków z wierzącymi w boskość Jezusa, a także z oczekującymi nadal Mesjasza.

To książka niepoważna, więc przepraszam Czytelniczki i Czytelników za te przerastające mnie pytania serio. Ale nie ukrywam, wracały one do mnie podczas pisania książki – i nadal wracają. Kończy się już czas lęku, przemocy, nienawiści w spotkaniu islamu i chrześcijaństwa. Ale nawet gdy skończy się na dobre – te pytania zostaną.

Dla jasności dodam też, że wszystkie kraje, sytuacje, instytucje i osoby opisane w tej powieści są całkowicie zmyślone, a do tego w ogóle niemożliwe. Wszelkie ich podobieństwo do tych, które istnieją rzeczywiście, musi być przypadkowe i zwodnicze.

A na zakończenie – nie od rzeczy będzie przypomnieć, że jedna z bohaterek tej powieści wydała dziesięciolecia temu swoje wspomnienia pod tytułem *Szkoła wdzięku i przetrwania*. W złudnej nadziei skorzystania z ulg podatkowych posłużyła się wtedy pseudonimem Piotr Wojciechowski. Niczego jej to nie nauczyło.

ROZDZIAŁ PIERWSZY

Byłam kochankiem celebryty

– Dlaczego tata nie mieszka z nami? – spytała Blandi.

Glorenda położyła palec na ustach, podeszła na palcach do okna i zamknęła je. Wyjrzała na korytarz, delikatnie otworzyła drzwi na ganek z kolumienkami. Na słomiance spał człowiek o wyglądzie kloszarda. Znała go, to był brytyjski biznesmen, który przed tygodniem przyjechał do Krakowa świętować wieczór kawalerski i trochę się piwnie zapodział. Nie rozumiał po polsku, więc były bezpieczne.

Podeszła do hamaka, na którym odpoczywała Blandi, i nachyliła się do jej ucha.

– Wacio Waciak mieszka z nami, ale nie możesz go widzieć. Ani do niego dzwonić. Bilingi są sprawdzane. Dziesięć lat temu musiał zmienić orientację, aby stanąć do konkursu. To była kwestia kadencji i parytetu. Demokracja jest jak walec drogowy i ma tysiąc oczu. Wacio złożył przysięgę, że nie jest przeciwnikiem tych, co zwalczają heterofobię.

– Boże, przysięgał na Biblię?

– Nie, Biblię oprotestowała młoda lewica obyczajowa.

Szukaliśmy jakiejś świętości. Takiej koło laickiej. W końcu przysiągł na szablę dowódcy kompanii honorowej Saperów Weimarskich. To elitarna jednostka NATO, już za rok mają dostać pierwsze rydle i łopaty. Póki więc Wacio ma to stanowisko, póki jest na świeczniku, nie może się wydać, że mieszka z nami, że ewentualnie w ogóle coś do mnie czuje. Wiesz, ile mnie kosztowało, aby wywiad ze mną ukazał się w „Paradzie Gwiazd"?

Blandi kapryśnie wypuczyła wargi pokryte szminką w trzech aktualnie modnych kolorach, ale w kolejności zadziornie pomieszanej, wbrew naciskom środowiska i zaleceniom prasy.

– I po co ci to było? – odszepnęła. Po co wywiad, po co potem dementi we wszystkich mediach, po co było wytaczać naczelnemu proces o zniesławienie, potem drugi o szantaż? Tak ci dobrze, że dostałaś wyrok na zawiasach?

– Jak to po co? Sprawdź w internecie pod Glorenda de Soto vel Gloria Waciak. Przedsiębiorczyni, krytyczka i ofiara kapitalizmu, konsultantka strategii lizbońskiej, grupy wyszehradzkiej i kuchni wadowickiej. Na łożu śmierci przyznała się, że była kochankiem konkubenta celebrytki i tak dalej.

– Ale ty żyjesz! – obruszyła się Blandi.

Siadła na hamaku i zaczęła nakładać kapturki masujące na różowe paluszki u stóp. Trzeba było założyć te kapturki, aby w kąpieli proteinowo-ziołowej nie zniszczyć kosztownego samokruszącego się lakieru na paznokciach.

– Ty żyjesz, łatwo się mówi – westchnęła szeptem Glorenda. – Żyję poniekąd, ale w internecie jest że nie. – Bilansuje się na jeden jeden. Bilans musi być na zero, ty nie pamiętasz takiej piosenki. Tylko nie mów o tym wszystkim Szymonowi. Nie wygląda na dyskretnego.

– Mamo, on jest wrażliwy. Jak może być jeszcze dyskretny? Możesz go pocałować? Solidnie, z językoznawstwem. Czuję, że on teraz jest na głodzie czułości, a ja, widzisz: mam zabieg.

Glorenda weszła do salonu, gdzie w śpiworze na karimacie spał Szymon. Jego długie włosy farbowane na rudo, z zielonymi pasemkami, rozsypane były po dywanie, wśród gadżetowego okablowania. Na uszach miał słuchawki, twarz osłonił od światła tabletem Apple'a, ze śpiwora wyłaniał się tylko kościsty opalony kark z tatuażem przedstawiającym przebitego gwoździem skorpiona ze swastyką na odwłoku i napisem OSTRO DOKOPAĆ NAZISTOM!

Glorenda postała nad nim chwilę i poczuła, że nie ma ochoty ucałować swojego jakby zięcia. Miała raczej ochotę dokopać mu ostro. Zadzwonił jego telefon. Szymon dogmerał się go gdzieś w śpiworze. Głos rozmówcy był donośny i kategoryczny.

– Za pół godziny zbiórka w mundurach i z bronią w punkcie Kryptonim Masakra. Sanitariuszki mają mieć środki znieczulające w torbach, a na sobie koszule z włókna naturalnego, do darcia na bandaże i szarpie. Dowódcy plutonów mnie osobiście meldują szyfrem o gotowości oddziałów.

– Za pół godziny – jęknął Szymon, drapiąc się tu i tam. – Glorenda, w łazience jest mój zasobnik z mundurem. Przynieś mi, bo jestem goły. Zawsze śpię na nagusa.

– Nie krępuj się, ja już wychodzę – powiedziała Glorenda. – A jakbyś chciał mi zlecić czyszczenie broni, daj sobie spokój. Wystarczy mi, że zmywałam po waszej kolacji.

Wróciła do liwingu.

– Powiedz mi, dlaczego Szymon nazywa zasobnikiem zwykły brudny zielony plecak? – spytała. – I o co tu chodzi z bronią, sanitariuszkami i meldunkami szyfrem?

– Co? Sanitariuszki? – Blandi skrzywiła się, walnięta najwyraźniej obuchem zazdrości. – A, to! On jest teraz w grupie wojsk imitacyjno-rekonstrukcyjnych. Takie tam... Ćmoje-boje ze sztandarami i petardami. Mnie to nie przeszkadza, od czasu jak obejrzałam sobie te sanitariuszki. A jest szansa, że dostaną za to emerytury kombatanckie. Jeden polityk im obiecywał.

– Emerytury? – powtórzyła Glorenda z wyrazem czujnej uwagi na swej niezmiennie pięknej buzi. – Właśnie, weźmy takie obiecane emerytury i spróbujmy je ocenić jako produkt rynku finansowego. Jako ćwiczenie policz sobie, w jakiej wysokości i na jaki procent użyczyłabyś pożyczki obietnicobiorcy, mężczyźnie bez nałogów, z prognozowaną dożywalnością do wieku lat osiemdziesięciu dziewięciu.

– Ale mamo! No, Glorenda, weź się...

– Co, za trudne? Ma być trudno. Ci, co mają łatwo, na Plantach zbierają na obiad do kubeczka po jogurcie.

– Oj mamo, nie chodzi o to... Miałaś mi przedstawiać zadania tylko jako załączniki do poczty internetowej. Nie chcę, aby te jady cywilizacji lichwy sączyły się w nasze życie uczuciowe. Jak idzie przez ekran laptopa, to jakoś wytrzymuję…

– Dobrze. Jak chcesz, to ci puszczę parę zadań przez te tlitery czy fejsbuki.

Siadła do komputera i zamiast układać testy, zamyśliła się, jak trudno jest w dzisiejszych czasach wychowywać dorastającą dziewczynę, która odziedziczyła egzotyczną urodę matki i chłopski upór ojca. Z synami z dwu poprzednich małżeństw było łatwiej. Laurent pojechał do Ameryki i po ukończeniu MIT wsiąkł w strukturę potężnej finansowej korporacji jako konsultant od komputerów, Patryk znalazł prostszy i krajowy sposób na złagodzenie dolegliwości bytu: grał na perkusji w heavy-klezmetalowym zespole The Ross Proovatsch Goys. Poza e-kartkami na walentynki od lat nie miała od nich śladu życia. Ojcowie młodzianków nie odzywali się w ogóle, obrazili się za to, że jakobyż w swoim czasie oczekiwała, że będą płacić alimenty. A przecież nie oczekiwała. Zarobiła sporo na wydanych pod pseudonimem wspomnieniach i lokując pewne sumy na giełdzie, do niedawna wychodziła na swoje. Teraz… no cóż, teraz wszyscy mieli kłopoty z wypłacalnością. Bank, w którym trzymała jakieś resztki zasobów, nieoczekiwanie przysłał jej krótką notę:

Polubiliśmy twoje pieniądze, to było silniejsze od nas. Jeśli nie chcesz mieć u nas debetu, przyzwyczaj się do myśli, że już nic nas nie łączy. Nie wysyłaj odwołań ani protestów. Nie nachodź nas, nie telefonuj, nie próbuj nigdzie interweniować. Prawo chroni nas przed tego typu klienckim molestowaniem. Byłaś ostrzeżona, trzeba było czytać tekst drobnym drukiem na odwrocie każdego raportu o stanie kąta.

Kiedy przeczytała to po raz pierwszy, łzy zakręciły się w jej szmaragdowych oczach. Do diabła z kasą – ale dlaczego nie ma prawa zwrócić im uwagi na różnicę ortograficzną między kontem a kątem? Zatrudnili w dziale korespondencji jakąś niegramotną siostrzenicę szwagra, ich rude prawo. Wszyscy tak robią. Ale dlaczego ta smarkula nie sprawdza pisowni?

Pomyślała sobie, że taką pracę chciałaby załatwić dla małej, dla Blandi. Jej córka awansowałaby szybko. Uroda, wyczucie trendu i kupa wiedzy o współczesnych rynkach finansowych. Nie na darmo od czasu, gdy musiała zamknąć Obiady Domowe dla Singlującej Kadry Kierowniczej, ćwiczyła Blandi w fantomatycznym prowadzeniu działu promocji wirtualnego i fikcyjnego banku. Pomysł pojawił się w żartach podczas wieczoru zapoznawczo-pożegnalnego dla klientów Obiadów Domowych. Pokazała list z banku któremuś z podchmielonych yuppies i ten od razu powiedział – wasz błąd. W tej branży nie wolno być klientem. Kto nie ma własnego banku – przegrywa.

Obie z Blandi roześmiały się uprzejmie, bo gość jeżdżący porszem był im winien za trzy obiady z szampanem i nie należało go tracić nawet, gdy firma już padła. Potem jednak córka przypomniała rzecz Glorendzie w jakimś esemesie i tak poszło. Dzięki temu obydwie były na bieżąco w sprawach giełdy, rozliczeń transwalutowych, prawa bankowego, łącznie z prawem dżungli i prawem kaduka. Ich internetowa korespondencja nie różniła się niczym od korespondencji mniej fikcyjnych banków. Tak jak tamte, one też obracały miliardami euro, dolarów, jenów i tugrików, dokonując setek tysięcy transakcji na minutę. Manipulowanie opcjami, zadłużeniami, akcjami, rytm hossy i bessy, nasłuchiwanie wieści z giełd w Nowym Jorku i Tokio, czerwone szelki maklerów, ryzykowne wrogie przejęcia o trzeciej nad ranem – to okazało się mocne jak narkotyk. Glorenda czuła się młodo i swobodnie, budując coraz trudniejsze zadania dla Blandi, Blandi zaś czuła się inteligentna i potrzebna, ripostując krótko i celnie. Tak jakby obydwie podskakiwały na batucie w różowej, pachnącej fiołkami mgle. Czasami nawet wydawało się im, że skacze z nimi ten czy tamten prezes Banku Światowego albo Funduszu Walutowego.

Glorenda ocknęła się z zamyślenia i jej wypielęgnowane smukłe dłonie spoczęły na klawiaturze laptopa.

Proszę o pilną opinię – wystukała. A potem stwierdziła, że brzmi to zbyt ciepło i osobiście. Trzeba twardziej, ostrzej. Zaczęła od nowa.

Wobec przejęcia przez naszą firmę t-wa ubezpieczeniowego Saint Never Ltd. zadłużonego w Shanghai Shangri--La Enterprises potrzeba natychmiast opinii co do naszej oferty rynkowej. Co sprzedać?

  a. Zadłużenie brutto?

  b. Prognozę dynamiki zadłużenia?

  c. Ekspertyzę o wiarygodności prognozy?

  d. Zamówienie na ekspertyzę o wiarygodności prognozy zadłużenia?

e. *Bazę danych dotyczącą ewentualnych zleceniodaw-ców na ekspertyzę o wiarygodności prognozy zadłu-żenia?*

f. *Opcję na...*

W tej chwili z rumorem, jak uderzenie tsunami, ja-kieś moce rozbiły ścianę willi na ulicy Gontyna. Bruga, bruga, bruga! Płat tynku wraz z pejzażem Corota (re-produkcja) walnął w plecy Glorendy, aż straciła dech. W chmurze pyłu, w trzaskach rwących się instalacji, sypały się elementy architektoniczne pomieszane z me-blami i bibelotami z długo zbieranej kolekcji. Glorenda błyskawicznie osłoniła ciałem laptop i elastycznym sal-tem ewakuowała się na klomb przed domem. Kiedyś, w Szkole Wdzięku i Przetrwania, takie manewry były chlebem powszednim. Wylądowała wśród purpurowych kwiatów bugenwilli, świadoma, jak dobrze na tym tle komponuje się jej kanarkowa piżama. Otrząsając wło-sy z pyłu eksplozji, pomyślała, że takie rzeczy normal-nie zdarzają się na terenach, dla których nie jest jeszcze zatwierdzony plan zagospodarowania przestrzennego. Ba-boum! Eksplodowała kuchnia gazowa i za moment jaskrawą biel ognia przykryła chmura dymu. Kątem oka Glorenda zobaczyła krępą postać w szlafroku w rajskie ptaki i kasku motocyklowym, czmychającą ze schowka w podwójnym stropie saloniku muzycznego.

„Wacio Waciak znowu musi uciekać – pomyślała so-bie, śledząc, jak uciekinier wpełza rozpaczliwie w prze-kwitłe krzaki jaśminu. – Przez małżeństwo ze mną ten poczciwy syn podmławskiej wioski wpadł w życie, które go przerasta. *Bonne chance, mon amour!*".

W tej chwili wysmukły cień w kremowych dżinsach i fioletowym topie zasłonił Glorendzie męża-kochanka. Zobaczyła tuż przed swoją twarzą mikrofon z napisem „TV Vavell". Za ostrzyżoną na jeża reporterką zbliżał się kudłaty kamerzysta w wyświechtanej skórzanej kurcie.

– Jak pani przyjęła to posunięcie inwestycyjne firmy Gniazdopol? – spytała dziennikarka gruchającym głosem i wyszczerzyła białe jak ser zęby.

– W zasadzie, jako osiedlająca się w Krakowie warszawianka, nie mogłam... – zaczęła Glorenda, ale w tej chwili między nią a ekipę wepchnął się młody człowiek w stalowoszarym garniturze.

– Przepraszam, ale muszę pilnie załatwić sprawę urzędową. Pani Glorenda Waciak, prawda? Niech pani podpisze o tutaj.

Operator telewizji Vavell wtrącił się tu z dłuższą frazą, z której zacytować można tylko zwrot „spadaj ty", bo reszta sformułowań miała taki charakter, że nawet ściana wojskowej latryny spłonęłaby wobec nich wstydliwym rumieńcem. Mocny śląski akcent przebijał przez ludowość ekspresji filmowca.

Glorenda pochyliła się nad dokumentem.

– Po co czytać? Podpisać i idę. – Młody się niecierpliwił z teczką.

– Zaraz, tu jest napisane, że ja sama zleciłam zburzenie mojego domu, że pokryję koszty rozbiórki i zapraszam koncern Gniazdopol do inwestowania na opróżnionej działce.

– Dalej jest jeszcze, że przekazuje pani Gniazdopolowi

działkę nieodpłatnie i zapłaci pani koszty notariusza i wpisu do ksiąg wieczystych. Proszę podpisać!

– Ale ja chcę tu mieszkać! – wrzasnęła Glorenda. Musiała wrzeszczeć, aby się nie popłakać.

– To nie ma nic do rzeczy. Inni też chcą. Plan zagospodarowania...

– A nie podpiszę! Wiem, że plan zagospodarowania przestrzennego nie jest jeszcze zatwierdzony.

– Właśnie. Proszę podpisać! Wie pani, jakie koszty poniosła nasza firma, aby wstrzymać zatwierdzenie planu? I teraz chce nam pani robić wbrew!

Cpach! Cpang! Tssspang!

– Może pan to powtórzyć? – wtrąciła się dziennikarka. – Wybuchały jakieś przetwory w spiżarni i nie nagrało mi się.

– To nalewki – wyjaśniła Glorenda.

– Więcy niech da giemba na licht – dorzucił kamerzysta. – I bryle niech zdymie, bo blikują jak...

– Wiemy jak – zastopowała go dziennikarka. – Ja też mam psa. A wszystko się nagrywa.

Przedstawiciel dewelopera nerwowym ruchem zdjął okulary, odwrócił twarz ku słońcu pobłyskującemu krwawo przez kurzawę i dymy pożogi, poprawił różowy krawat na chudej szyi i zaczął tłumaczyć, o co chodzi, uważając, aby nie powiedzieć nic więcej niż to, co było już zawiłym prawniczym językiem wyłuszczone na przedstawionych do podpisu papierach. Że ze względu na przewidywane zaległości w opłatach czynszowych... że wobec konieczności harmonijnego rozwoju substancji miejskiej i dla realizacji planów inwestycyjnych... że

16

wyburzenia konieczne dla utrzymania ekologicznego pasma zielonej otuliny i dla ochrony zabytkowej sylwety, według założeń miejskich...

– W piętkę gonicie! – krzyknęła Glorenda. – Kit wciskacie! Jak ekologia, to nie inwestycje! Jak ochrona przylaszczki siedmiolistnej i terenów lęgowych dziuplicy łysawej, to nie gniazdowo-barierowy model apartamentowców i centrów handlowych. Tak albo siak!

Tu wszyscy się rozkaszlali, bo ogień musiał dojść do kosmetycznych zapasów Blandi i wiatr nawiewał dym ostrzejszy od iperytu, dławiący jak cenzura prewencyjna w minionym okresie.

– No normalnie jest. Teraz pani podpisze – upierał się młody urzędnik i kaszląc ciągle, uśmiechał się, jakby był już na wizji. – O tu! W wydziale ekologii załatwiamy jeden papier, w wydziale architektury drugi, u konserwatora wojewódzkiego trzeci i mamy pełną dokumentację. Nie można tak prymitywnie i linearnie wszystko do jednego worka. Tak jakby nie było Derridy i Baumana! Kompromituje się pani logiką starego typu. Jakby Lacan nic nie napisał! Płaci pani podatek gruntowy i całą resztę. Woda, energia, wywóz śmieci, odbiór śmieci z kibla i talerza. Zgoda, płaci pani. Ale wobec pogorszonych *terms of the trade* i kursu jena w relacji do franka szwajcarskiego, nasi eksperci finansowi przewidzieli, że w bliskiej przyszłości nie będzie pani w stanie regulować swoich rachunków. My awansem zakupiliśmy pani przyszłe długi od skarbu państwa, a ten dom, co go pani już nie ma, praktycznie był naszą własnością. I teraz opór, jak rasowa oportunistka. Sama naraża się pani na proces o odszkodowanie za mitręgę urzędową zagrażającą zyskom naszego przedsiębiorstwa. I pani podpisze!

– Ale tam jest moja córka i jej ten…

– Mówi się „partner" – szybko podrzuciła dziennikarka, chcąc wyprzedzić wulgarne określenie, które cisnęło się na usta kamerzysty.

– Wszyscy ręce do góry!

Obejrzeli się wszyscy. To Szymon, powiedzmy partner Blandi, wynurzył się z zawieruchy i szpetoty spustoszenia. Był ubrany cały w khaki: hełm bojowy z bawolimi rogami i mundur obwieszony odznaczeniami narodowymi i naszywkami armii sprzymierzonych. Na nogach podkute kamasze. Karabin maszynowy przytykał do pleców grubego wąsatego operatora ciężkiego sprzętu, w żółtym hełmie i błękitnym kombinezonie z napisem GNIAZDOPOL.

– Ręce do góry!

Glorenda podniosła ręce, poniekąd za wszystkich. Bo każdy coś trzymał – papiery, mikrofon, kamerę. Nie rzucą tego ot tak. Odwykli od wojen i nie umieją się znaleźć. Pomyślała: „znowu wyręczam ludzi, a przecież mnie najmniej zależy. Mógłby mnie zastrzelić i byłby spokój. Z tym, że Blandi musiałaby mu potem wozić paczki do więzienia. Tak źle i tak niedobrze".

– Niech pan pozwoli pracownikowi wrócić do prac wyburzeniowych! – zawołał młody urzędnik. I znowu zagroził procesem, mówiąc o stratach firmy wynikających z ryzyka opóźnienia inwestycji. A firma płaci podatki, daje ludziom zatrudnienie i w ogóle liczy się w Europie.

– Ale ja go właśnie próbowałem zmusić, żeby

wyburzał – krzyknął Szymon. – Wyburzanie tworzyło właściwą scenerię dla teatru wojny... Takie się snuły dymy męczeńskie... Ruina cegłą skruszoną krwawiła... Ruszaj się, bo zastrzelę jak psa! – dodał, aby było groźniej. – Ale państwo nie, państwo nagrywajcie, jest dobre tło ogólne. Trzeba by dorzucić jakie opony do ognia, bo przestaje dymić.

Szymon lufą popchnął jeńca w stronę kamery, zmarszczył brwi i dziarsko przekrzywił kask na głowie.

– Ne treba! Wyburzaty ne budu, my aż do jutra do dziesiątej trzydzieści wyburzanie zadzierżali. Stop znaczy! – powiedział prosto w obiektyw operator machiny niszczącej. – U nas strajk ostrzegawczy. Chwatit. Nie będziecie przerzucać kosztów kryzysa na barki. Sowmiestno z ispańską młodzieżą postanowili my dać odpór wilczym prawom. Globalno rieszyli!

– Bardzo ciekawe! – skomentowała dziennikarka i natychmiast zwróciła mikrofon ku przedstawicielowi planetarnego buntu mas. – Niech pan mówi, kto jeszcze się włącza? Czy są z wami Indianie amazońscy?

– Globalno to znaczy oni też. A wam po co tak wszystko wiedzieć? – w wąsaczu obudziła się nagle czujność z minionych epok.

Dziennikarka płynęła już na fali. Dała znak kamerzyście, aby brał twarz strajkującego burzyciela bardziej od dołu. Demonicznie i monumentalnie.

– A więc globalnie jesteście wszyscy razem zdeterminowani, aby okiełznać rozbuchany rynek finansowy. A jak by skomentował pan twierdzenie ministra finansów, że epoka taniego pieniądza się kończy na naszych oczach i teraz wiele banków może mieć twarde lądowanie? – spytała szybko dziennikarka.

– Choczesz mieć za szybko njusa, lalucha – uciął operator. – Z takimi szutkami to do naszego rzecznika medialnego. Ja powiem prosto: to wy się kończycie. Wyrwiemy wam kły, posypią się pazury.

– Jak nacisnę język spustowy, zobaczymy, kto się kończy – przerwał mu Szymon. – Kulki się posypią!

– Szymon, puść już pana – rozkazała Glorenda. – Tak długo ręce w górze…

Operator był wąsaty, spocony, lekko tatuowany i ogólnie z obecnych mężczyzn to on jeden robił na Glorendzie jakie takie wrażenie samcze.

– Nie puszczę, co mi tam! Jakoś chyba zrywam z Blandi – powiedział Szymon. – Ona nie jest już cool.

– Boże, gdzie ona jest? – spytała przerażona Glorenda i spojrzała na zgliszcza domu, gdzie właśnie z żaru pękła lodówka i odmrożone ryby popłynęły ławicą do ścieku, w spienionej strudze buchającej parą. – Szymon, co z Blandi? – jęknęła.

– Kto nie jest cool i dżezi, niech ginie! – odpowiedział. – Przyszła do niej manikiurzystka od laserowego formowania tipsów. Ja chodziłem trochę nieubrany i chyba podobałem się manikiurzystce, no fajna foczka była. Czarniawa bardziej. A ta twoja córka okazała tyle burackiej nietolerancji, że rzygać! Ciemnogród, wiocha, i to z dolnej półki. Jak wychodziłem, to antresola wpadła do piwnicy. To znaczy my wyszliśmy z tym wyburzycielem. A one chyba razem z antresolą.

Glorenda nie trzymała już rąk w górze. Wiedziała, że

dobrze jest poświęcać się za innych, ale bez przesady. Bije dzwon ostrzegawczy i trzeba bić jak on. Kopniakiem z nożycami – bach-bach – zrzuciła hełm byłemu już powiedzmy partnerowi córki i sprawnym chwytem wyłuskała temu eks broń z rąk. I w kurzawę, w dziejową nawałnicę!

– Pani podpisze – usłyszała jeszcze za sobą krzyk urzędnika Gniazdopolu.

I już cichnące wezwanie kamerzysty: „Dla mnie proszę o dubel tej sceny!".

Z podrzutu, nie odwracając się, puściła serię nad głowami malowniczego zgromadzenia. Blandi! Córka! Krztusząc się w dymie, szła na ratunek.

*

Trzy dni później los Blandi dalej był nieznany. Glorenda zgłosiła zaginięcie na komisariacie i natychmiast została zatrzymana jako podejrzana. Okazało się, że Szymon też złożył doniesienie. Pobicie raz. Małe piwo. Gorsze sankcje groziły za znieważenie godła na hełmie bojowym. Najpierw dowiedziała się, że komendant wojsk imitacyjnych wydał w tej sprawie oświadczenie dla mediów, przemawiając na tle Wawelu, w mundurze paradnym. Dopiero potem dotarła do niej wiadomość, że przeszukano ruiny z użyciem profesjonalnych psów lawinowych i psów-wolontariuszy z pobliskiego schroniska. Przewrócono każdy okruch tynku i każdą drzazgę mebli w poszukiwaniu śladów. Nic. Podczas wstępnych przesłuchań sporo pytań dotyczyło manikiurzystki. Szymon, ekspartner Blandi powiedzmy, zeznał, że przyszła i zaczęła pracę. Okazało się, że Salon Kultury Paznokcia przy Imperium Wizażu na Grzegórzkach otrzymał zamowienie na taką specjalistkę, przełożono jednak wizytę na dzień następny, bo wszystkie siły fachowe były w terenie. O tym, że Blandi mogła skorzystać z innej, tańszej usługi, nie mogło być mowy. Wychowano ją w staroświeckich, rygorystycznych zasadach – rzemieślnikowi trzeba dać zarobić. Kto więc podszył się, kto stawił na ulicy Gontyna, w firmowym kepi Imperium Wizażu i połyskliwym fartuchu roboczym koloru perwanż? Porwanie czy zakamuflowane konszachty z podziemiem kosmetycznym? Jeśli uwiedzenie, to kto kogo? Do kolejnych pytań – kto za tym stoi, komu to na rękę – doszło w nocy po następnym dniu przesłuchań.

Oficer służb, których nawet skrót był tajny, w środku nocy przywieziony został helikopterem i wprowadzony do komisariatu w przebraniu poturbowanej więźniarki. To stary chwyt, na taką nikt nie patrzy, żeby potem nie musieć zeznawać przeciw resortom siłowym. Po demakijażu i kieliszku dla kurażu stary wyga śledczy zasiadł vis-à-vis Glorendy. On w wymiętym garniturze barwy mysiej, bez krawata, ona ciągle w żółtej piżamie. Włosy w wyszukanym nieładzie, makijaż dyskretny, stosowny do nocnej pory.

– Nie myślcie, że nie wiem, kim jesteście – zaczął przybysz.

– Jakbyś wiedział, mówiłbyś „proszę pani" – powiedziała Glorenda.

– Przepraszam panią. Przepraszam, proszę pani...

– No tak lepiej. Gdzie moja córka?

Tajniak najwyższej rangi niepewnie rozejrzał się po

pokoju przesłuchań. „Raz kozie śmierć – pomyślał. – Co się martwisz, co się smucisz, ze wsi jesteś, na wieś wrócisz".

Wiedział, że jego kariera weszła właśnie na wysoką przełęcz i posypała sobie głowę popiołem. Teraz tak będzie sypało się wszystko. Te szare jak popiół ściany muszą być pełne kamer i mikrofonów, furda, może być nawet kolor, 3D i stereo. Ten prosty drewniany stół, to krzesło i krzesło zatrzymanej widziały już kilka epok, z kłopotliwymi międzyepokami na dodatek. Obstalowane u stolarskiego majstra gdzieś na Krowodrzy, jeszcze za dobrego cesarza Franciszka Józefa, a potem... *Ce sont le pustiaki*... Rzeczpospolite, wojny, totalitaryzmy, kurz osiadał w szufladach, papiery, teczki, lojalki i donosy wycierały blat, półkłamstwa i przemilczenia sączyły się w szpary, ciekły w słoje jesionowego mebla. Poczuł, że dziurka od klucza w patentowym zamku obitych blachą drzwi patrzy na niego zmęczonym wzrokiem matki. Wciągnął powietrze i zaczął mówić.

– Nazywam się Kołatiuk. Jan, syn Fiodora. Mój ojciec był pszczelarzem w lasach koło wsi Pisklaki za Biłgorajem. Pamiętam ojca w kapeluszu z siatką, w chmurze złotych owadów. Cóż, Pisklaki... Mała wioska, grunty w wąskie pasy pocięte... po parę morgów... ziemia marna, przeważnie piąta czy szósta klasa... w domu się nie przelewało.

– Dobrze. Powiedzmy, że pan rzeczywiście nazywa się Kołatiuk. Gdzie moja córka?

– Pozwoli pani, ale to do mnie należy zadawanie pytań. Pani pierwszy mąż, Józef Okoń, powołał w swoim czasie ruch społeczny pod nazwą Bezpartyjne Legiony Dobrobytu, prawda?

– Tak było – odpowiedziała Glorenda głosem tak złagodniałym, że prawie śpiewnym. – Było – powtórzyła i fala wspomnień ruszyła, zalewając synapsy jej mózgu obrazami płochej, a heroicznej zarazem młodości. – Joe O'Koń nie był wtedy moim mężem, był młodym wykładowcą, który zadurzył się w swojej uczennicy. Te głupie legiony powstały ot tak, na marginesie naszych wspólnych analiz. Naszej ojczyźnie poświęcaliśmy wtedy więcej uwagi niż naszemu szczęściu. Długie nocne rodaków rozmowy. Jeszcze się musztardówki nie wytłukły, jeszcze był cukier w tapczanach. Inteligencki zacier… Zimne kaloryfery i gorące głowy. Polska urwała się wtedy z Układu Warszawskiego, szła pijana wolnością na wielkie europejskie wagary, z wiszącym jeszcze u szyi strzępem sowieckiej smyczy. Serca nam biły jednym rytmem, a zarazem mroził je smutek, bo brakowało wszystkiego. Brakowało kapitału i koncepcji, menadżerów i analityków rynku. Aktorzy stawali się parlamentarzystami, a politycy klaunami. Brakowało demokracji i brakowało dyplomatów. Wołano o partie polityczne, o społeczeństwo obywatelskie, i Joe chciał odpowiedzieć na popyt. Dla mnie to on wtedy był profesorem O'Kohnem. Patrzyłam jak urzeczona w jego oczy, w których jeszcze majaczyły blaski Harvardu. Na zajęciach z prawa państwowego wymyślaliśmy setki partii i ugrupowań, statuty, preambuły. Młodość! Co to dla nas było, jedne legiony dobrobytu mniej, jedne więcej. Po sejmie i senacie jeszcze do dziś się tłuką niektóre wymyślone przez nas, ot tak, jako byty ćwiczebne, partie i koncepcje… Co pan tam bazgrze, Kołatiuk? Dlaczego pan nie nagrywa? Dlaczego nie ma protokolanta i porządnego ekspresu do kawy?

Nadkomisarz czy może podpułkownik – Kołatiuk siedział osowiały. Przygarbił się, a jego twarz rozmazywała się jak próbne wersje portretu pamięciowego.

– Widzi pani ołówek? – spytał ochryple. – Kopiowy. Już taki krótki. Ostatni jeszcze z resortu.

– Nie pytam o ołówek, panie Kołaciuk.

– Ale to ja pytam, proszę pani. Z waszej szkoły wyszło troje absolwentów?

– Jedna absolwentka z pewnością. To ja – odpowiedziała, prostując się. – Potem, kiedy ja sama przejęłam funkcje rektora i dyrektora generalnego, nikomu już nie udało się skończyć. Były opinie, że trochę za bardzo przykręciłam śrubę. Ja chciałam trzymać poziom uczelni, bo widziałam, jak wszystko się gliździ. Po paru semestrach, kiedy wyszłam za Okonia i urodził się mały Wawrzek-Laurent, trzeba było zająć się dzieckiem. Szkołę kupił Robert Pyrski, jej założyciel, i zaraz z małą stratą sprzedał Wackowi Waciakowi, a ten pozwolił, żeby ją przejął komornik, i poszła z licytacji w ręce niejakiego Jaszki Kitajca z Odessy. Jakoś w międzyczasie było jeszcze upaństwowienie, unieważnione przez Trybunał Konstytucyjny, i jeden zarząd komisaryczny. W tym bałaganie podobno dwu łebkom udało się zrobić dyplom, ale nie śledziłam, co za osoby. Przypuszczam, że pan ma to w papierach, panie Kołaciuk.

– Kołatiuk – poprawił śledczy. – Ja jestem ten trzeci. A o drugim… sprzeczne wersje, luki w dokumentach.

Był taki chojrak, o którego kłóciły się dwie jednostki organizacyjne, ale wyszło, że fałszywka. Kobitka zresztą to była...

– Jeśli was wykołowała, to może zasłużyła na dyplom.

– Zginęła przy próbie ucieczki. Amen.

– A znaleźliście ciało? – spytała Glorenda, a policzki jej zaróżowiły się od emocji. Kołnierz jej żółtej piżamki rozchylił się nieco, więc wyglądała tak pięknie, że kopiowy ołówek w rękach przesłuchującego ukruszył się i znieruchomiał.

– Jakby niezupełnie – odpowiedział zagubiony i niepewny Kołatiuk. Wiedział, że to on ma pytać. A mimo to odpowiadał. – Znalazła się broń krótka, zaświadczenie o szczepieniach i bielizna. Góra i dół.

– No to bingo – podsumowała Gloredna. – *Maxima cum laude*.

– Jak?

– *Maxima cum laude*. To mam napisane na moim dyplomie ze szkoły. Z pochwałą największą. I tamtej tak bym napisała. Robiliście test DNA, prawda?

– Ja mam pytać! – Śledczy pozbierał się trochę. – Gdzie aktualnie przebywa pani mąż?

– Joe O'Kohn wrócił do Harvardu jak stary bumerang. Coś tam robi, czasem przemawia jako ekspert w telewizji CNN. Jak się tylko pokaże jego buźka, kursy lecą w dół, niezależnie od tego, co mówi. To raz. Robert Pyrski, mąż numer dwa, jest w Brukseli...

– Zaraz, ja tu mam inne dane – przerwał jej brutalnie Kołatiuk. – Czołgistą był! W amerykańskiej armii czy jak?

Glorenda wybuchnęła kaskadą śmiechu.

– Ależ tam macie specjalistów! Thinktank to nie pojazd gąsienicowy. Był krótko w Ameryce. Sama go posłałam, garnitur nawet kupiłam, bo wie pan, ja nie mogę patrzeć na cierpienie. Szczególnie jak jakieś zwierzątko albo mężczyzna... Po rozwodzie bardzo się męczył na zasiłku i załatwiłam mu pracę w Dallas, w Rezerwie Mózgu Banku Światowego. Jakby był cicho i tylko potakiwał z poważnym wyrazem twarzy, do dziś siedziałby tam jak u Pana Boga za piecem. Wikt, opierunek, pensja niebrzydka. Dwa posiedzenia w miesiącu, auto i samolot do dyspozycji. Ale on niestety raz czy dwa się odezwał i wyleciał. Ambicja. Poprosiłam kogoś i wzięli go do Brukseli, siedzi tam jako tłumacz naszego komitetu ostatniej szansy. Nie zna języków i dlatego my tę szansę jeszcze mamy.

– Ja tu mam w notatkach, że małżeństwo nie zostało skonsumowane.

– Też odniosłam to wrażenie – potwierdziła Glorenda i jej chabrowe oczęta ukryły się pod gęstwiną rzęs. – Ale Patryk się urodził, więc coś tam musiało być. Żyliśmy w strasznym pośpiechu, z hotelu do hotelu, z wokandy na wokandę, prawdziwi nomadzi. Z jednej strony prywatyzowaliśmy zakłady mechaniczne w Dobrej Woli, z drugiej musieliśmy je postawić w likwidację, a załoga wytoczyła nam proces z pozwem zbiorowym o złamanie przyrzeczenia rozkwitu. Małżeństwo się nam rozpadło w takim zamęcie, w takim krakaniu kruczków prawnych, że sąd rodzinny nie przyznał syna ani mnie, ani Robertowi, tylko komitetowi strajkowemu. To mój wielki wyrzut sumienia. Co to mogło być za wychowanie, żadnych zasad, same roszczenia. Czy Patryk mógł wyjść na ludzi? On nie tylko został artystą, ale też co chwila znajduje sobie jakieś korzenie etniczne czy kulturowe. Jakby kołtun tych korzeni miał pod sobą. Nie mam z Patrykiem kontaktu, ale na moje przeczucie macierzyńskie, to jemu potrzebna dobra, wartościowa dziewczyna. Może być bez majątku i bez korzeni. Serce się liczy.

– Zapisałem, wytypujemy kogoś, żeby się zorientował w wariantach – powiedział Kołatiuk i można było w tym jednym zdaniu znaleźć na dnie złotą niteczkę wzruszenia losem artysty. – Ale ad rem naszych baranów, ja cały czas pytam o ojca zaginionej. W znaczeniu mąż zatrzymanej. A pani wyciąga z lamusa jakieś inne rozdziały sagi rodzinnej i chowa się w to jak w zasłonę dymną. Przecież pani wie, my jak rentgen, wszystko na dłoni. *Mane, tekel, fares*, jak mówią. W dokumentach jest pani jako Waciak.

– W niektórych dokumentach – zauważyła Glorenda ostrożnie. Wiedziała, że teraz idzie po kruchym lodzie. – Z domu nazywałam się kiedyś Ania Podbipięta, ale to nie było medialne. Z Waciem Waciakiem pobrałam się jako Glorenda de Soto, ale też niewiele udało się skonsumować, bo wyszła na jaw jego orientacja. Został liderem lewicy obyczajowej i sekretarzem komitetu politycznego przy pełnomocniku ministra do spraw nowego modelu rodziny. Ponieważ ma bronić praw rodziny multipartnerskiej, musiał mieszkać z jednym mężczyzną metroambientalnym, z jego damszczyzną i ich interaktywnymi konkubentami, chyba nie wyliczyłam pełnego składu. Miałam ich broszury, ale się spaliły. Albo poległy pod gruzami na ulicy Gontyna.

– Tu je mam.

Rzuciła szybkie spojrzenie na kolorowe zeszyty, które Kołatiuk wyjął z teczki.

– Nie, to nie te. Podobne trochę, przez te uśmiechy szczęścia. Te są od świadków Jehowy.

– Kiedy widziała go pani ostatni raz?

– Wacia Waciaka? Tak naprawdę widziałam, widziałam to ze dwadzieścia lat temu, jak jeszcze studiowałam w ich szkole. Wtedy bywały chwile, kiedy mogłam mu spojrzeć w oczy. Duża przerwa, a on idzie do mnie przez podworce i niesie bułkę z baleronem... Burak był, ale złote serce. I złota rączka. Wszystko naprawił, motor, samochód, kiedyś Ruskim helikopter naprawił.

– Wiem. Daleko nie zalecieli.

– No i co? Nikt nie zginął. Za to już mieli trochę bliżej do siebie.

– I potem już pani go nie widziała?

Glorenda westchnęła.

– Pośpiech, panie Kołatiuk. Pośpiech i stres to nie są dobre duchy strzegące domowego ogniska. To upiory zagłady. Hossa za bessą. Huśtawka nastrojów. Przewalutowania. Zmiany kursów, zmiany przepisów, zmiany rządów. I jeszcze te zmiany orientacji. Mijaliśmy się jak przedwojenne pociągi pośpieszne. Huk lokomotywy, para buch, łomot kół, oświetlone okna salonek, i już oddalające się czerwone latarnie ostatniego wagonu. Wybuch zwierzęcej żądzy i za chwilę tu karta kredytowa, tu kluczyki do samochodu, telefon, i czerwone latarnie coraz dalej. Onże to był? Czy to ja byłam? Czytał pan o kłączowatym zaniku tożsamości? Zbiory rozmyte i tak dalej?

– Nie bardzo mam czas na czytanie. I to przez takich jak pani. Gdzie przebywa mąż?

– Jeszcze jesteśmy przy Waciaku? – Glorenda ziewnęła i przeciągnęła się rozkosznie. – Jestem rozwiedziona, powinien to pan mieć w papierach.

– Panią pytam. – Śledczy próbował, żeby zabrzmiało twardo, ale nie wyszło.

– Panie Kołatiuk, późna pora. Jakieś adresy miałam w laptopie. Gdzie trzymacie mój komputer?

W tej chwili zadzwonił jego telefon. Kołatiuk wysłuchał, przytaknął, obiecał dostarczyć. I zapytał Glorendę o kod dostępu do plików w pamięci jej komputera. Odpowiedziała, że są dwa. Jeden otwiera dostęp, a drugi, różniący się jedną cyferką, skutecznie wymazuje całą pamięć, wszystkie programy, adresy, do buddyjskiej bieli kontemplacyjnej.

– Niech pani poda ten pierwszy, notuję. – Śledczy sięgnął po ołówek kopiowy.

– Myśli pan, że o tej porze mam głowę do numerków? Pomylę się i klops. – Zatrzymana mówiła coraz wolniej i ciszej. Ziewnęła różowo i smacznie. – A do tego... – dodała, tłumiąc ziew kolejny – ...o, dobrze, że sobie przypomniałam. Nic się nie uruchomi, jeśli czytnik nie będzie miał dostępu do moich linii papilarnych.

Tu wyciągnęła przed siebie prawą dłoń – wysmukłą, różową, wonną, jakby gotową do delikatnej pieszczoty.

„Połknięcie kopiowego ołówka niczego nie zmieni – pomyślał Kołatiuk. – Już tak się wypisał, że dawka może nie być śmiertelna".

Lewy profil, prawy profil.

Jeszcze jeden błysk flesza. Z przodu z tabliczką na piersiach: WACIAKOWA GLORIA aresztantka NR... PESEL... NIP...

*

W katorżniczym szynelu narzuconym na żółtą piżamkę Glorenda siedziała na miejscu dla pasażera, obok prowadzącego wóz Kołatiuka. Za oknami służbowego auta migały nocne krajobrazy październikowej Polski. Góry Świętokrzyskie, obwodnica Kielc, wielkie jak smoki TIR-y powywracane byle jak, to wzdłuż, to w poprzek, przeważnie wygodnie ułożone w rowach do nocnej drzemki. Ptactwo wodne zadomowione w pełnych wody koleinach asfaltu. Wozy sanitarne zaczajone w chaszczach, nadsłuchujące, czy nie nadjeżdżają motocykliści, karetki jak hieny, łase na organy do przeszczepu. Nie chciała myśleć o grożących Blandi niebezpieczeństwach, wolała wspominać te październiki sprzed lat, akademickie fety, Józia Okonia w todze rektorskiej, w pelerynce gronostajowej, w birecie. I tę radość, że zaczyna się czas nieparzystego semestru, wracają regularne studia, kończy się ryzykowna gehenna praktyk wakacyjnych, kajaków wśród kajmanów, pułapek szamanów w tajdze nad Ussuri, burz piaskowych, odpierania zalotów GOPR-owców podczas tatrzańskich załamań pogody i morale.

Potrząsnęła ramieniem prowadzącego auto Kołatiuka.

– Niech się pan obudzi! Chyba nie ma przejazdu. Skąd tyle świateł?

Rzadki las na stoku wzgórza nad szosą prześwietlały potężne słupy błękitnobiałego światła. Zarośla poniżej, tataraki i trzciny, okalające pokryte rzęsą starorzecze, i kępy olch skąpane były w purpurowej poświacie, a szosę zagradzały wozy służbowe i techniczne z migającymi na dachach niebieskimi i oranżowymi „kogutami".

– Panie Kołatiuk, niech się pan obudzi, niech pan hamuje trochę!

Glorenda chwyciła dźwignię ręcznego. Uderzyli lekko w bok furgonetki Żandarmerii Stanu. Posypało się szkło. Antyterroryści wyskoczyli z pudła stukniętego pojazdu jak jeden czarny zwierz na dwunastu nogach. Poprawiając maski na twarzach i aparaty tlenowe na plecach, połapali płetwami do bagnistego zbiornika i zniknęli pod powierzchnią. Kożuch rzęsy zamknął się za nimi.

Kołatiuk obudził się wściekły.

– No i narobiła pani przez te krzyki! – krzyknął. – Ślicznie pięknie! Ja nie spałem, to raz. A dwa, jestem trzecią dobę na służbie, rozumie to pani?

W tej chwili jak spod ziemi wyrosła przy nich para funkcjonariuszy z drogówki. On pyzaty i rozrośnięty, o poczciwych okrągłych oczach, ona drobna, cygańska w typie, z czapką na bakier. Gadał duży blondas.

– Dobry wieczór. Od sprawcy zdarzenia drogowego poproszę uprzejmie o dowodzik, prawko, dokument rejestracyjny, polisę. Hamowanie nie wyszło? Co się dzieje, panie kierowco? Dziewczyna przeszkodziła?

Kołatiuk poprawił się na siedzeniu, spojrzał ponad głowami funkcjonariuszy i dobitnie powiedział.

– Czterysta szesnaście!

Subauspicjentka zachichotała i schowała się za kolegę.

– No tak… – odpowiedział nieco zbity z tropu starszy prespirant. – Trzeźwość sprawdzimy w drugiej kolejności, teraz dokumenty.

Znowu wyliczył, na jakie papiery czeka.

– Czterysta szesnaście! – jeszcze głośniej wyrąbał Kołatiuk.

– Tyle karnych punktów wam się nie należy – jowialnie skwitował duży. – Tyle nie, ale walnę, ile będę mógł. Opuścić proszę pojazd! Ręce na maskę!

Założył standardowy chwyt transportowy, sprawnie wyciągnął Kołatiuka z wozu i ustawił przed sobą. Policjantka znów zachichotała.

– Już ja zrobię, już zobaczycie, jak wylecicie ze służby – cedził przez zęby Kołatiuk. – Kodów nie znacie! Czterysta szesnaście, co jest? Dyskretny przewóz niebezpiecznego zatrzymanego pojazdem banalizowanym!

– No, kiedyś było coś takiego na odprawie – wtrąciła się czarniawa. – On, Zdzichu, może coś tego. Niejakoby takie sygnały były.

– Czekaj, on tu ma legitymację taką – odpowiedział Zdzichu, gmerając po marynarce Kołatiuka. – Popatrz, Wioleta, ale jednym okiem, bo to jakieś supertajne. Po mojemu zdjęcie całkiem niepodobne. Panie kierowco, czemu to zdjęcie niepodobne?

– Może on bratu na przykład wziął legitymację –

podsunęła się policjanteczka Wioleta, tłumiąc śmiech. – A pamiętasz takiego pajaca, co miał paszport Murzyna i smarował się towotem? No, pod Odrzywołem my go łapali. Co ja się wtedy nastrzelałam, kurde...

– Ty lepiej spytaj na radio o te czterysta szesnaście, czy to jest i czy aktualnie to dalej działa w naszym zadaniu – powiedział duży Zdzichu. – Z tym, że konwojować to on już nie ma kogo.

Kołatiuk padł teraz na maskę uszkodzonego auta jak podcięty kwiat. Z tej pozycji mógł widzieć, że na siedzeniu obok kierowcy leży porządnie złożony szary szynel katorżniczy, a na nim żółta piżamka od Gucciego, rzucona trochę niedbale, ale z wyczuciem formy.

– Czterysta siedemnaście! – krzyknął, prostując się. – Ucieczka zatrzymanego, podwyższony stopień zagrożenia państwa! Obejmuję dowództwo!

Z mroku wynurzył się ktoś wyższy jeszcze od Zdzicha, w czarnym stroju, hełmofonie z przyłbicą i kamizelce kuloodpornej.

– Zgłaszam pododdział żandarmerii do czterysta siedemnaście! – powiedział przybysz i wywalił w niebo z rakietnicy.

Pośpiesznie, z chlupotem spłoszonych gęsi, wynurzyli się z wody żandarmi-nurkowie. Posłano ich do poszukiwań Glorendy, parę z drogówki za nimi.

– Ja, panie kolego, mam habilitację z psychologii behawioralnej sytuacji kryzysowych – odezwał się wódz żandarmów do Kołatiuka. – I tak na mój krzywy nos to czuję, że jesteście superancko zadowoleni, panie kolego, że wam zatrzymana bryknęła, no nie jest tak?

– Nie odwołałem na razie czterysta siedemnaście – skwitował go Kołatiuk. A potem, już mniej formalnie, zapytał: – Jaka tu akcja? Bo zajechaliście mi drogę w trakcie określonej akcji? Można wiedzieć?

– To jest, kolego drogi, akcja artystyczna – odpowiedział żandarm, podnosząc plastikową przyłbicę. – My tu wszechstronnie zabezpieczamy plan filmowy. Film kręcą, jednym zdaniem. Historyczno-pirotechniczny. Łażą po lesie, kamerują, wyłażą na drogę, kamerują dalej.

– I erotyka w lesie, co? – domyślił się Kołatiuk, umęczony obrazem porzuconej żółtej piżamki.

– Ewentualnie jest, ewentualnie nie ma. Behawioralnie wątpię. Pokrzyw masa i co chwila stop kamera. Nerwy raczej. Nie mówię, że finansowych przekrętów nie ma, ale film to są duże pieniądze. O, idzie pan reżyser, to panu potwierdzi. Dużo wydać, dużo zarobić. Jak w rzece duża woda, zawsze brzegu urwie, rozumiemy się?

Reżyser był młody, blady i nieogolony, w sweterku z angielskimi napisami i skórzanej czapce z daszkiem.

– To jak, koniec na dzisiaj, panie reżyserze? – spytał żandarm. – Mamy tu stłuczkę z kolegą. Wie pan, on jest od globalnego stopnia tajności. Czyli nic pan nie wie, nie było. Ale kończymy?

– Nic nie kończymy! – krzyknął reżyser. – Daj pan swoich ludzi na drogę, można prosić? Ale szybko, można prosić? A z panem co jest? Ja się przedstawię, Rafał Skorecki, reżyser, pewnie pan czytał. Dam auto, zawiezie. Pan do Warszawy?

– Do Warszawy czy nie – odpowiedział oględnie Kołatiuk – chwilowo tu, bo zatrzymana jest na ucieczce, wie pan, czasem tak trzeba.

– Ach tak? – podchwycił od razu reżyser. – Ach tak? Wypadek, ktoś ucieka. Jemu się zdaje, że wypadek, a pan cichcem za nim? Pysznie! Dramaturgia chwili! Biorę ten pomysł od pana.

– A pan jaki film robi? – zaciekawił się Kołatiuk. – Pirotechniki dużo?

– Dużo – potwierdził filmowiec. – Ja rzygam tym, sikam na to. Ale producent wymaga. Mówi mi: jak nie ma bum-trach, nie przyjdą widzowie. Gołej baby może nie być…

– Właśnie! – przerwał mu Kołatiuk. – Była?

– Skąd! Dla mnie, dla mnie osobiście, to musi być człowiek niosący swoją winę. Maleńki człowiek w gmachu historii, która mu się wali na głowę. W scenariuszu to miałem, niestety niewiele z tego zostało. Tylko tytuł roboczy: *Noc czerwonych wilkołaków*. Generała Sierowa mi skreślili, żeby nie ciągnąć niedźwiedzia za kudły dziejów najnowszych. Chcąc nie chcąc, muszę iść w stronę komedii romantycznej.

W tej chwili zjawiła się policjantka z damą w mini i w półkożuszku. Na półkożuszek było za gorąco, na mini może parę kilo za dużo, ale w sumie estetyka kobiecości była bardzo filmowa.

– Pani kostiumowa widziała uciekinierkę – zameldowała policjantka, rzucając zwierzchnikom nieobyczajne uśmieszki.

Pani kostiumolog przedstawiła się i potwierdziła, że

został wydany kostium wilkołacznicy statystce, która przybyła spóźniona.

– No to ją macie – powiedział żandarm do Kołatiuka. – I po krzyku.

– Ile wilkołacznic mamy na planie? – spytał reżyser.

– W grafiku organizacyjnym było tysiąc dwieście – odrzekła pani kostiumolog. – Wydano ponad tysiąc kostiumów. I tak pan będzie namnażał to komputerowo.

Światła przeszywające las znowu zabłysły mocniej, a wokół reżysera pojawili się liczni asystenci, operatorzy, specjaliści od kaskaderki i pirotechniki, meldując, że wszystko gotowe. Nad wierzchołkami świerków wzniosła się platforma podnośnika z kamerą.

– Niech pan idzie ze mną, może ją pan rozpozna – powiedział do Kołatiuka reżyser. – Mam podgląd równoczesny na czterech monitorach.

– Nie wie pan, o czym pan mówi – odparł ponuro śledczy. – Nie wie pan, pańskie szczęście. A wy, czterysta siedemnaście!

Policjantka poprawiła czapkę, przekrzywiając ją na bakier, sprawdziła, czy loczek wymyka się frywolnie, i stanęła na baczność. Oczkami strzelała w stronę przystojnych filmowców, a po jej karminowych usteczkach błąkał się zalotny uśmieszek.

– Piżamę żółtą do jałowego pojemnika pęsetą! I hermetycznie! Potem galop do kryminalistyki, weźcie szybki wóz. Na sygnale! Do labo i badanie DNA superpilne, na hasło czterysta siedemnaście. Wykonać! A ja rąbnę się raczej spać, sen przynosi dobrą radę.

Kołatiuk obudził się w rzeźwości świtania, czując na

sobie czyjeś spojrzenie. Powoli rozeznał się w sytuacji. Jego stuknięty pojazd banalizowany jechał na potężnej platformie wiozącej jakieś filmowe urządzenia. Za oknem słał się w mgłach poranka Niż Polski obszarów intensywnej gospodarki sadowniczej. On sam spał, jak się położył – na tylnym siedzeniu – ale przykryty był ciepłym kocem. A na przednim siedzeniu siedział reżyser z płaską butelką whisky w ręce i wpatrywał się w niego.

– Niech pan tylko nic nie mówi – powiedział reżyser tajemniczym szeptem. Był złachany, ochrypły, pachniał potem, dymem prochowym. Oczy miał mocno zaczerwienione, a mimo to promieniowały z niego twórcze moce. – Rafał Skorecki, reżyser – przedstawił się jeszcze raz. – Pewnie pan widział w telewizji, co? Patrzę na pana! Niech pan tylko dalej zaciska szczęki z taką pasją, niech pan dalej władczo rozdyma nozdrza. Niech pan mnie wysłucha, sza! Bez słowa. Łyczek? Nie? Wiem, służba. Biorą najtwardszych. Teraz sprawa. Ten mój film przechyla się niebezpiecznie. Robi się błahy i kasowy. Nie chcę, szkoda mojego życia na te bzdury. Wszyscy takie tłuką dla kasy. Ja muszę ocalić to, co było w scenariuszu wielkie. Naszą wielką narodową winę. Chcę, aby w podziemiach podświadomości widza zagrzmiały kroki historii. A historia musi mieć ludzką twarz. Łyczek? Ja rozumiem, panu honor oficera nie pozwala. Powiem panu, historia w moim filmie będzie miała twarz mężczyzny z granitu. Pańską twarz. To mała rola, epizod właściwie, ale kluczowy. Mieszko Piąty, Król Młot. Akcję umieściłem w niedalekiej przyszłości. Nasz kraj, po tym jak zachwycił media i analityków odegraniem roli

Zielonej Wyspy, znowu jest na ustach wszystkich. Pierwsza w dziejach cywilizacji konstytucja hybrydalna. Cztery lata liberalnej demokracji parlamentarnej, a następnie cztery lata oświeconej, ale autorytarnej monarchii. Potem wybory – i znowu demokracja w najlepsze. Mój film będzie opowiadał o pierwszej kadencji Królestwa Polski. O przyjściu kogoś, kto poczuł, że na jego barki spadł purpurowy płaszcz Chrobrych, Odnowicieli, Mocnych. To pan! Na skroniach korona, ale ona nie pochyli panu głowy! Ona, chociaż ciężka dziedzictwem samowoli, prywaty i chaosu, każe Mieszkowi Piątemu...

– A kiedy panował Mieszko Czwarty? – spytał Kołatiuk, walcząc z resztkami snu.

– Nie wiem, wpisałem piątego tak na zakładkę. Masa było tych Piastów śląskich i szczecińskich, to się potem ustali, jak będzie kasa na konsultantów historycznych. Ale bierze pan?

– Nie bardzo jeszcze chwytam...

– Ale to przyszłościowe! – Reżyser znowu łyknął z piersiówki i zarumienił się, pewnie nie tylko od emocji. – Jak z tymi samochodami o napędzie już to spalinowym, już to elektrycznym. Taka konstytucja. Pojedzie się na demokracji, zatęskni się za twardą ręką. Pocierpi się od mocnej władzy, ale bez strachu, kadencja się kończy, zaraz będzie się wybierać parlament, prezydenta, samorządy.

– I to już załatwione? – spytał śledczy, kuląc się pod włochatym pledem. – Ciężko będzie pracować.

– Przecież to fikcja, film... Fabryka snów, tak o nas mówią. Tylko czy pan zagra mi tego Mieszka Młota?

– Zadzwonię do pana – powiedział ostrożnie funkcjonariusz tajnych agend.

Reżyser wyciągnął do niego rękę z wizytówką.

– Ja wiem, że pan się zgodzi. Film to zabawa dla takich chłopaków jak my. Pan spał, a ja miałem telefon od Miśki. Tej od kostiumów. Kaskaderzy i statyści pobrali w sumie tysiąc dziewiętnaście wilczych skór z maskami. Zwrócono tysiąc osiemnaście. Teraz to do pana dzwonią. Coś źle? Jakby pan zbladł.

Kołatiuk trzasnął klapką wielofunkcyjnego telefonu.

– To są sprawy służbowe – odparł surowo. – Mogę łyczek? Nasze kawalerskie! – Wyciągnął rękę po flaszkę.

– Powiem panu, bo ufam w pana dyskrecję – podjął, wycierając usta. – Powiem panu, że ten strój wilczy już zapracował. Właśnie od naszych komputerowców wykradziono laptopa osoby na ucieczce. Technik opowiadał, że zasnął i śnił mu się pies Szarik. Ten od pancernych.

– Wiem.

– Tyle to i ja wiem, panie reżyserze.

ROZDZIAŁ DRUGI

Porozmawiajmy, Ben Ali

Nad Dżamijabadem, stolicą Strychu Świata, zapadła czarna jak smoła noc, przesycona zapachem drzewa sandałowego, ostrej baraniny, dieslowskich spalin, orientalnych słodyczy. Wąwozem ulicy, między szeregami krzywych budowli z suszonej na słońcu cegły, pełzł sznur monstrualnie wielkich ciężarówek z zaopatrzeniem dla bazy Wesoły Roger. Ich lampy były jedynymi światłami uśpionego miasta. Koła miesiły pył drogi, buksowały na stertach wielbłądziego i koziego łajna. Człowiek w zawoju i podartej dżellabie podciągnął się do krawędzi dachu i liczył pojazdy. Sięgnął po telefon komórkowy, taki jak miliony innych. Wiedział, że ma poczekać, aż siedemnasta ciężarówka zrówna się ze sklepem sprzedającym plastikowe beczki i kanistry z plastiku. Zakurzoną witrynę tego sklepu co chwila wyłuskiwały z mroku lampy aut. Wiedział, że gdy siedemnasta nadjedzie tam właśnie, trzeba wywołać na ekranie telefonu nazwisko „doktor Karkami Swanda". Połączyć się. Ciężarówka nie pojedzie dalej, tylko w rudej kurzawie ognia skoczy w górę, uderzy w domy po prawej albo po lewej stronie, eksploduje, stanie w płomieniach, zablokuje przejazd reszcie konwoju. Wtedy uciec. Bomba jest głęboko pod jezdnią, saperzy najeźdźców sprawdzali przejście parę razy i nic nie znaleźli.

Dwunasta, trzynasta...

Z ciemnego gardła zaułku wyszedł jasny, prawie biały osiołek. Sprytnie przebiegł między dwunastą a trzynastą ciężarówką i zatrzymał się przed sklepem. Tam, w przepołowionym plastikowym naczyniu, musiał znaleźć parę łyków deszczówki. Pił.

Czternasta, piętnasta...

Człowiek na dachu przypomniał sobie wioskę w południowym Bachczystanie, na pustynnych stokach Gór Kebabczerskich. Przypomniał sobie swojego dziadka i osiołka, który był pierwszym wierzchowcem sześcioletniego chłopca.

Szesnasta...

Ogarnęło go zmęczenie. Położył głowę na dachu z rozprutych baniek po oleju. Blacha była jeszcze ciepła po skwarze dnia, śmierdziała zjełczałym tłuszczem. Znieruchomiał, był pewien, że dalej liczy nadjeżdżające pojazdy, i wtedy, gdzieś ze szpary między blachami, dobiegł do niego głos Boga. Osioł ma być ocalony.

Pomyślał, że skoro Bóg tak chce, skoro Bóg przemówił do niego, Harszida Ben Alego, Bóg sam zadba i o resztę, o jakiś ciąg dalszy. Ostrożnie i sprawnie zaczął pełzać po dachu w stronę podwórka. Sięgnął pod kalenicę i wyciągnął zawinięty w naoliwioną szmatę pistolet maszynowy Kałasznikowa. Nasłuchiwał przez moment, bo tam, w uliczce na tyłach, między opłotkami, usłyszał

dźwięk obcej mowy. Patrol, pewnie Polacy. Znieruchomiał, przylgnął do dachu, rozpłaszczył się w plamę cienia. Ucichło, przeszli.

Zeskoczył i w mgnieniu pomiędzy krawędzią dachu
a ubitym na beton błotem uliczki, w mgnieniu, w locie, uświadomił sobie, że jeszcze przed chwilą polowa-
ły na niego wszystkie armie świata. A teraz nadal polują
na niego wszystkie armie świata plus najpotężniejsza
i rosnąca w siłę terrorystyczna partyzantka. Widać tak
chce Wieczny i Najmocniejszy. Z bronią gotową do strzału pomknął bezgłośnie ciemniejszą stroną zaułku. Zobaczył w perspektywie krzywych ścian i parkanów jasne
okienko. Wiedział, że musi przeczołgać się ciemnością
poniżej smużącego się przez szyby światła.

*

Siostra Perfekta sięgnęła do swojej szafki i wyciągnęła
tubkę z pastą do zębów. Wycisnęła odrobinę na szczoteczkę i zaczęła myć zęby. Wszystko tu trzeba było
oszczędzać, wszystko odmierzać sobie skąpo, nawet
mydło. Stała boso na betonowej zimnej podłodze w pry-
mitywnej łazience w baraku misji charytatywnej. Przed
sobą miała szare ściany i lusterko wielkości spodeczka.
Namydliła gąbkę i umyła się, nie zdejmując obszernej
koszuli z długimi rękawami. Musiała się śpieszyć, bo
ciepła woda płynęła tylko przez kwadrans. Siostra Perfekta nie była jeszcze zakonnicą, daleko jej było nawet
do nowicjatu, nie była nawet pełnoprawną kandydatką
na postulantkę. Miesiąc spędzony z siostrami tu w misji
przemienił ją. Jak mogłaby pracować z nimi i modlić się
z nimi, nie czując się jedną z nich?

*

Harszid Ben Ali rozejrzał się, dostrzegł w zasięgu ręki skrzynkę po bananach. Przyciągnął ją ostrożnie, oparł kałasznikowa o ścianę, wspiął się, stanął tak, aby zajrzeć przez szczelinę w pękniętym matowym szkle okna. Była piękna jak poranek, jak śpiew słowika, jak obietnica Nieba, miała skórę gładką i jasną jak mleko, bujne złote włosy opadające do połowy pleców i błękitne oczy. Była piękniejsza od wszystkich Amerykanek, jakie Harszid widział w kinie i na ulicach amerykańskich miast. Sięgnął za szeroki skórzany pas, wyjął zdobiony srebrną intarsją kindżał i wsunął ostrze w pęknięcie szyby, aby je poszerzyć. Chciał widzieć więcej, ona była jak świt po burzy. Starał się być ostrożny, ale zadrżał, gdy zobaczył, jak spoza blond loków wynurza się różowa muszelka ucha. Tak jakby księżyc wyjrzał zza chmur. Szkło z brzękiem upadło na betonową posadzkę łazienki. Oczy mniszki i bojowca spotkały się na ułamek sekundy i oboje rzucili się do ucieczki. Ona wypadła przez drzwi na korytarz, on szarpnął się i upadł, bo pod jego nogami załamało się dno skrzynki. Był teraz uwięziony, spętany jak baran przeznaczony do zarżnięcia. Uderzyło go błękitnawe światło mocnych latarek. Z tupotem twardych buciorów biegli do niego z dwu stron zaułka dwaj żołnierze z armii niewiernych – na głowach mieli kaski z przyłbicami, w rękach gotowe do strzału karabiny maszynowe.

– Żywcem brać! – rozległ się wrzask w obcym, barbarzyńskim języku.

Rzucił się naprzód, stanął na rękach i nogami uwięzionymi w skrzynce zadał dwa krótkie ciosy. W lewo i w prawo. Usłyszał jeszcze suche trzaśnięcie o siebie dwu plastikowych przyłbic. Z odbicia obunóż przeskoczył parkan, z giętkością sprężyny opadł na ręce, przekoziołkował, znowu płot, kłujące chaszcze. Pochyłość, ciemność. Dobiegło go wycie syren.

*

W bazie Wesoły Roger, obsadzonej siłami polskiego batalionu zmechanizowanej kawalerii morskiej i kolonialnej, reakcja była natychmiastowa. Oficer dyżurny wbiegł na wieżyczkę obserwacyjną. Miał na sobie piaskowo-plamisty mundur polowy, a na głowie czarną chustę w deseń z białych trupich główek. Wyglądał pięknie i groźnie. Nabił rakietnicę czerwoną rakietą wzywającą pomoc samolotów, wystrzelił. Potem dla pewności wystrzelił rakietę oranżową, wzywającą helikoptery. Była jeszcze trzecia, żółta. Nie pamiętał, kogo ona wzywa, ale wystrzelił ją na wszelki wypadek. Jak są, trzeba przypaprószać. Inaczej się przeterminują, kłopot z usuwaniem z ewidencji i utylizacją. Przejrzał się w kieszonkowym lusterku – wyglądał naprawdę świetnie. Z góry, z wieżyczki, widział, jak na pojazdach opancerzonych ruszały w miasto kolejne patrole, jak na oświetlonych neonami banków skrzyżowaniach schodzili z rosomaków i żubrów żołnierze w kamizelkach kuloodpornych, objuczeni bronią, z reflektorami, radiostacjami, noktowizorami. Nadleciały helikoptery, ich świetlne macki omiatały nieliczne nowoczesne centra handlowe, tulące się do nich skupiska ruder, pustynne place, bazarowe budy. Wyjechały na ulice transportery gąsienicowe z megafonami. Obsługujący radio starszy szeregowy został najwidoczniej bardzo gwałtownie wyrwany ze snu, bo w pierwszej kolejności puścił nagranie ze swoich prywatnych zbiorów.

W czarną orientalną noc nad Strychem Świata popłynął więc metaliczny tenor Ceśka Misiaka: *Ciebie jedną mam, Grażynka, to jest nocy czar, twa ręka, buzi twojej śmiech, to nasz wspólny grzech...* Dopiero po chwili dyżurny radiostacji odnalazł właściwą dyskietkę i włączyły się rozkazy dla ludności, wygłaszane drewnianym głosem lektora, zapowiadające zaostrzenie godziny policyjnej, wzywające do chętnego poddawania się przeszukaniom, zakazujące wychodzenia z domu nawet na podwórko. Ktoś tam musiał naruszyć jeden z licznych zakazów, bo zaczęła się bieganina, rozległy się krzyki. Wreszcie, już nad ranem, strzelaniny trochę. Nie było ofiar.

*

Rano, po jutrzni, a przed śniadaniem, siostra Perfekta została zawieziona do komendantury. Zgodnie z regułą i obyczajem towarzyszyła jej siostra Misteria, znana w zgromadzeniu z dyskrecji. Okazało się, że śledztwo prowadzi osobiście generał Zakrupa, a towarzyszą mu przedstawiciele prokuratury wojennej, wywiadu polskiego i sojuszniczego, tłumacze oraz technicy od nagrań i aparatu do wykrywania kłamstw. Z jednej strony stołu dwie skromne blade siostrzyczki ze swoimi krzyżykami na czarno-szarych habitach, z drugiej tłum ogorzałych od pustynnego słońca chłopów w mundurach, dziesiątki pstrych odznak – orłów, rakiet, gwiazdek, świadectw przynależności, zasług i rangi. Wąsy, okulary, laptopy. A nad nimi wielki napis *Task Force Jolly Roger* i niżej coś po polsku i angielsku o porządku, zaufaniu i demokracji. Że przynosimy to na Strych Świata jako dar od narodów.

General Zakrupa to było sto kilo samca skropionego old spice'em i ogolonego ze starannością cechującą wychowanków akademii West Point. Gruby kark i szerokie bary znamionowały bywalca siłowni, ciało bez grama tłuszczu, wymodelowane starannie. Miał piękne, lekko opuchłe oblicze pijaka, który nigdy nie stoczył się w alkoholizm, i stalowosiwą szczoteczkę przystrzyżonych krótko włosów. Jego duże piwne oczy spoglądały na świat pobłażliwie. Ze swadą, spokojnie i fachowo przeprowadził wstępną fazę rozpoznania sprawy i identyfikacji świadka. Uśmiechał się z ojcowską życzliwością do pobożnych panien siedzących przed nim, do starszej uprzejmie, a szczególnie ciepło do młodszej. Laska super. Potem zadał podstawowe pytanie: czy siostra Perfekta widziała kogoś w wybitym oknie łazienki misji charytatywnej?

– Tak, widziałam, panie generale.

– A kto to był?

– Nasz bliźni – odpowiedziała siostra laska super. – Mój bliźni i bliźni pana generała.

– Jak wyglądał ten bliźni? Mężczyzna, prawda?

– O tym nie mogę mówić – odrzekła siostra Perfekta spokojnie i pogodnie. – Gdyby to była kobieta, moim gadaniem zaszkodziłabym tej kobiecie. Gdyby to był mężczyzna, jak pan generał był łaskaw sugerować, zaszkodziłabym temu mężczyźnie. A przecież przyjechałyśmy tu nie po to, aby komukolwiek szkodzić. Przyjechałyśmy tu, aby pomagać, prawda?

Generał Zakrupa napił się wody.

– My też, dziecinko, przyjechaliśmy tu, aby pomagać. Ten bliźni zostawił pod twoim oknem sprawną i nowoczesną broń nabitą ostrą amunicją. To dowód, że był gotów zamordować kilkudziesięciu naszych chłopców. I zrobi to, jeśli nie pomożesz go złapać.

Perfekta milczała, pochylając głowę.

– Przyjechałem tu nie po to, aby moich chłopców odsyłać do Polski w blaszankach – oświadczył generał. – Ja chcę ich żywych i zdrowych oddać mamusiom i narzeczonym. A ty chcesz chodzić na pogrzeby? Chcesz, żeby ten twój bliźni pomordował naszych Kazików, Franków i Robertów?

– Jeśli to zrobi, jego będzie grzech – odpowiedziała siostra Perfekta, nie podnosząc wzroku na rozmówcę. – A pomstę zostawmy Bogu. My w zgromadzeniu modlimy się, aby wszyscy żołnierze wrócili zdrowi do Polski. A kiedy giną, prosimy, aby Bóg wziął ich do nieba.

– I będziesz mi tu chroniła bandytę?

– Bliźniemu trzeba pomóc.

Generał Zakrupa westchnął i rozejrzał się bezradnie.

– Zdaje się, że u was obowiązuje takie samo posłuszeństwo jak u nas w wojsku – zaczął znowu, świetnie panując nad irytacją. – Jakby twoja zwierzchniczka kazała ci powiedzieć…

– Nasze posłuszeństwo jest inne – odparła siostra Perfekta. – Gdyby nasza przełożona, siostra Plusquamperfekta kazała mi zrobić coś złego, nie miałabym obowiązku posłuszeństwa. Pan generał może kazać żołnierzom strzelać do ludzi. Oni słuchają, strzelają. A my się

48

wtedy modlimy, aby nikogo nie trafili. Posłuszeństwo ma być na chwałę Bożą, jak wszystko.

Perfekta podobała się generałowi, ale też irytowała go w najwyższym stopniu. Prawdziwa jednak, rozżarzona do białości wściekłość ogarniała go, gdy spoglądał na siedzącą obok Perfekty siostrę Misterię, wychudzoną pięćdziesięciolatkę, która miała szarą cerę, spiczasty czerwony nos z małym pryszczem na czubku, a do tego cały czas milczała, kiwając lekko głową na każdą odzywkę Perfekty. Uśmiech wtajemniczenia nie znikał z jej wąskich warg. Po godzinie milczenia starszej zakonnicy, po godzinie przekomarzań z upartą młodszą, Zakrupa miał dość. Polecił zbadanie obydwu sióstr aparatem do wykrywania kłamstw, a sam poszedł, wyjaśniać czekającym go dziennikarzom, na czym polegał nocny incydent, dlaczego był alarm.

Briefing przerwał mu telefon z pokoju przesłuchań.

– Co jest?

– Coś się stegowało, panie generale. To znaczy wykrywacz kłamstwa nie funguje. Cały czas wskazówka przechodzi na drugą stronę. Ujemne wartości, tego nie mieliśmy. Był major od Amerykanów, mówi, że to się zdarza. Badał kogoś u siebie, tam w rezerwacie indiańskim, i tak mu skalowało. To co, skasować dane?

Generał przerwał połączenie.

*

Jeszcze tego dnia po południu siostra Perfekta towarzyszyła matce przełożonej w rozdawnictwie pomocy. Z kartonami mleka, z puszkami odżywek, pojechały do izby porodowej i szpitalika. Tam na placu zostawiły hummera pod ochroną oddziału wartowniczego i w roboczych niebieskich fartuchach, strzeżone tylko przez paru żołnierzy – uzbrojonych po zęby, w goglach, kamizelach kulochronnych, przyłbicach – poszły z darami na bazar Chanochaczajski.

Bazar Chanochaczajski był najbiedniejszy z czterech, słynących w całym Dżamijabadzie z wszelakiego rękodzieła i taniego haszu. Kolory. Tłumy. Wszystkie cepelie Azji, burki, zawoje, tiubietiejki, papachy karakułowe, egzotyka, o jakiej się nawet fotografom i redaktorom w Nationalgeografiku nie śniło. Siostry chodziły z wielkimi koszami i rozdawały kobietom szampony, mydła i płyn przeciw komarom, a dzieciom toruńskie pierniki, krówki z Milanówka, elementarze polskie i długopisy. Tłum cisnął się i kotłował. Żołnierze łagodnie torowali drogę zakonnicom, spoza kosmicznych przyłbic uśmiechali się do nich i do dzieci.

Nagle pomiędzy drobną Perfektą a zażywną i postawną Plusquamperfektą stanęła kobieta z niemowlęciem na ręku i zaczęła pokazywać matce przełożonej przepyszne purpurowe i szafirowe jedwabne szale. Żonglowała nimi, aby otwierały się, powiewały, wzdymały na wietrze i świeciły kolorami w słońcu, zasłaniając skutecznie widok. W tym samym momencie do Perfekty podeszła kobieta w czarnej burce, z całkiem zakrytą twarzą, i zaczęła jej coś gorączkowo tłumaczyć w jednym z miejscowych narzeczy. Gestykulowała, wpatrywała się w nią hipnotycznie, gdzieś wskazywała, gdzieś wzywała w dramatycznej chrapliwej oracji, w końcu stanowczo pociągnęła ją za łokieć i rozchyliła zasłonę straganu. Potykając się, przekraczały zwoje bucharskich i samarkandzkich dywanów, stosy miedzianych i mosiężnych mis, kotłów, dzbanów. Perfekta przechodziła pod uchylanymi przed nią tkaninami, widząc, że żołnierze zostali gdzieś w tyle, że jest sama wśród obcych, prowadzona w jakieś głębie magazynowe, zaplecza bazaru, raz wonne, raz smrodliwe, w zadymione pomieszczenia, gdzie ludzie śpią, gadają, jedzą, palą opium. Jeszcze jedna i jeszcze jedna firana, tu ostre słońce popołudnia już prawie nie docierało, palce obcej zaciśnięte na łokciu nie osłabiały chwytu, a usta jej się nie zamykały.

Półmrok, słabiutkie światło przesiane przez bure i zielonkawe zasłony na dachach. Coś metalicznie brzęknęło pod nogami. Oczy oswoiły się z ciemnością i siostra Perfekta uświadomiła sobie, że stąpa po pociskach rakietowych, mija stosy uzbrojenia, skrzynek z amunicją, granatników, karabinów. Dojrzała, przykucniętych przed jakąś bramą strażników w płaskich burych czapach rozbójniczego plemienia górali.

Kobieta w burce wprowadziła ją do pokoiku urządzonego ze wschodnim przepychem. Lampy ze srebra wysadzane drogimi kamieniami. Na stoliku z laki tace owoców i słodyczy, czarki z kawą. Z zarzuconego kobiercem i poduszkami tapczanu podniósł się wysoki mężczyzna w miejscowym stroju, ale z gołą głową. Czekał na Perfektę z bukietem róż. Ukląkł. Mówił dobrą amerykańską angielszczyzną. Zakochał się. Tak powiedział od razu: zakochał się. I jeszcze dodał, że jest dowódcą tego wszystkiego i nazywa się Harszid Ben Ali. A potem przedstawił jej swoje cztery żony. I matkę – to była ta kobieta w czerni, która

51

ją uprowadziła. One stały pod ścianą, a siostrę Perfektę mężczyzna poprosił, żeby usiadła. Powiedział też, że mogą rozmawiać spokojnie, bo tamte nie znają angielskiego. Lepiej, żeby usiadła, bo jest sporo spraw do omówienia, skoro on jej proponuje, aby została jego czwartą żoną.

Usiadła i poczuła, że jak sama sobie teraz nie pomoże, to nie wyciągną jej z tej kabały ani generał Zakrupa, ani mateczka Plusquamperfekta. Anioł Stróż? Powiedzmy, że jako doradca.

– Pozwolisz, że napiję się kawy? – spytała. – To mi pomoże rozeznać się w sytuacji. Zupełnie mnie zaskoczyłeś. Mówisz, że chcesz mnie za czwartą żonę. A przecież masz cztery. Świetna kawa.

Harszid był pięknym czterdziestoletnim brunetem, nawet w Hollywood powiedzieliby, że nie nadaje się do filmu, bo za ładny. Miał wielkie sarnie oczy w pysznej ciemnej oprawie, kształtny nos z lekkim garbkiem, starannie przystrzyżoną czarną brodę i usta stworzone do wydawania rozkazów – i do zdobywania pocałunków.

– Nie sądzę, aby liczba żon mogła być traktowana tak poważnie jak stała grawitacyjna czy inne wielkości fizyczne – odrzekł Harszid, kładąc śniadą szczupłą dłoń na rękojeści kindżału. – Nawet szybkość światła nie jest już zawsze taka sama.

– Rozumiem – powiedziała mniszka i upiła kawy.

Sytuacja nie była łatwa, ale miała i swoje jaśniejsze strony. Pierwszy raz w życiu Perfekta dostała tak duży i piękny bukiet. Purpurowe róże, bajka!

– Posłuchaj mnie, Ben Ali – zaczęła, przerywając zbyt długo trwające milczenie. – Jesteś poważnym facetem i nie mogę twojej propozycji odrzucić ot tak, dla kaprysu. Nie mogę też paść ci w ramiona. Są przeszkody, które na pierwszy rzut oka wydają się bardzo poważne. Jest między nami duża różnica wieku, że nie wspomnę już o odmienności kulturowych korzeni. Jest dalej mój zakonny habit, ale przede wszystkim różnica religii.

– Powinnaś przyjąć moją religię – powiedział Harszid. – Jest najlepsza na świecie. Ale nie musisz. Muzułmanin może ożenić się z żydowską albo chrześcijańską kobietą, bo one są córkami Ludów Księgi. No, ale nie ma to jak porządny szyicki islam.

– Nie gadajmy o rankingach, Harszid, nie są wcale jednoznaczne – odparowała Perfekta. – Czy to ja ci wtykam siebie jako towar? Pomyśl, kto tu wyszedł z ofertą. Kto komu kupił róże. Kto się komu oświadczył.

Harszid posmutniał i Perfekcie zrobiło się go żal.

– Ja cię też kocham – powiedziała. – Kocham wszystkich ludzi. A już szczególnie kocham całą ludność Strychu Świata i tu właśnie przyjechałam służyć i pomagać. Wycierpieliście ostatnio aż za dużo. W każdym razie w temacie oświadczyn konkluzja jest prosta jak kij od hokeja. To ty powinieneś zmienić religię. Zadzwonię zaraz do księdza Władeczka i umówię cię na pierwszą katechezę. U nas jest bardzo fajnie.

Perfekta sięgnęła po telefon ukryty w kieszonce wśród sutych fałd habitu, pod niebieskim fartuchem.

– Nie! – wykryknął Harszid. – Żadnych telefonów!

– Jak chcesz. Zostawię ci numer. Ksiądz Władek

Dopuch. Jest świetny. Ja już lecę, mateczka przełożona pewnie się niepokoi. Jak stąd wyjść? Mogę zabrać bukiet?

Harszid, mroczny jak zimowy wieczór na bagnach, wstał i lekko skinął głową. Nie odezwał się. Był dość wysoki, szczupły, ale jego ruchy zdradzały siłę. Perfekta spojrzała na cztery żony i pomyślała, że mogą dużo stracić. Szczególnie jedna.

Matki Plusquamperfekty nie było już na bazarze, więc Perfekta musiała iść przez to całe wojenne miasto sama, z bukietem róż, w tym gorączkowym ruchu przed godziną policyjną. Tłum, riksze, osły, malowane w demony autobusy. Żebrzące dzieci, brodaci nomadzi, patrole lokalnych policjantów. Udało się – już w przedwieczornym, mocno czerwonawym świetle dotarła do biura przepustek na granicy zielonej strefy bezpieczeństwa.

– Siostrzyczka pewnie z randki wraca – zażartował stojący za betonowym blokiem wartownik.

– Jakbyś zgadł, kocie – odrzekła skromnie opuszczając oczy.

Zaniosła kwiaty do kaplicy, a potem zastukała do matki Plusquamperfekty. Próbowała się usprawiedliwiać, zrelacjonowała w koniecznym skrócie dziwne spotkanie z wodzem bojowników. Przełożona słuchała nieuważnie, a potem wyjęła spod łóżka dużą torbę z rogoży.

– Spójrz, co kupiłam dla mojej siostry w Jaworkach i dla jej córek – powiedziała, wysnuwając z opakowania świecące kolorami jedwabne i kaszmirowe szale. – Dałam więcej, niż ci biedacy zażądali, a i tak bardzo tanio.

Perfekta pochwaliła. To były wspaniałe tkaniny, ale

pomyślała sobie, że to marne szmaty w porównaniu z tymi, które widziała na czterech żonach Ben Alego. Obie mniszki obejrzały zakupy i poszły razem na modlitwy, a stamtąd na wieczerzę. Kiedy rozstawały się, Plusquamperfekta odwołała jeszcze Perfektę na bok.

– Masz tu telefon do generała Zakrupy. Zadzwoń do niego, on cię lubi. Był wściekły na tych chłopców, co mieli nas pilnować na bazarze i jakoś im nie wyszło. Popędził ich, nie dał kolacji, kazał robić pompki na placu alarmowym. Wyjrzyj, dotąd robią. Trzeba…

– No, wiem co trzeba – przerwała jej Perfekta. Wyjrzała na plac. Pod ostrym światłem lamp przed garażami sześć postaci leżących na płask, próbują jeszcze się podnosić, a nad nimi jakiś sierżant rozkraczony jak cyrkiel. – Tylko czy nie za późno do generała?

– Słyszałam, jak się umawiał do księdza Władeczka na spowiedź na wpół do jedenastej. No, dzwoń!

*

Generał Zakrupa posiedział chwilę z ukaranymi żołnierzami przy spóźnionej kolacji, wypił kakao, wypytywał ich o rodziny, próbował żartować. Nastrój jednak był marny. W końcu przyznali się, że oni też wiedzą o przybyciu do miasta Harszida Ben Alego. To dla wszystkich oznaczało zwiększone zagrożenie, strach, że trzeba będzie zapłacić haracz krwi. Posłał ich spać, a sam poszedł do baraku-kaplicy, gdzie rezydował kapelan.

Generał nie zgodził się na spowiedź przy stole w zakrystii, chciał, jak w dzieciństwie, rymnąć na dwa kolana przy konfesjonale. Tam, nie bez wewnętrznych oporów, wywlekł z siebie grzech najcięższy. Przyznał się, że

55

z korzyścią własną kupił od Amerykanów przeterminowane miny przeciwpiechotne. Nie wybuchają. Zakłada się, a nie wybuchają.

– To nie grzech, panie...

– Niech ksiądz mi mówi „synu”.

Ksiądz Władeczek Dopuch był trzydziestoletnim, drobnym, bardzo jasnym blondynem. Łysiał, zapuścił wąsy, ale z tymi wąsami wcale nie wyglądał dobrze.

– W porządku – zgodził się z pogodnym uśmiechem. – Rozkaz to rozkaz, będę mówił jak pan generał życzy. To nie grzech, synu. Ty mi się, synu, z zasług nie spowiadaj. To zasługa, że miny nie wybuchają, ludzi nie pokaleczą. Zarobiłeś, coś na kupnie, mój synu, dobrze. Nie mów ile, nasz Pan nie jest głównym księgowym. Te pieniądze, synu, podziel na pół. Za pół kupisz w kantynie soki owocowe. Nieprzeterminowane tym razem. Niech siostrzyczki rozdają dzieciarni, niech mają na nagrody dla uczniów. Drugie pół wydaj w Polsce na jakiś piękny cel. Pamiętaj, synu, tu jesteś na robocie, a serce masz mieć tam. A teraz dalej, synu, słucham grzechów...

Generał Zakrupa poczuł, że drewno konfesjonału jest wyjątkowo twarde. Poprawił się na kolanach.

– Podoba mi się zakonnica. Siostra Perfekta – powiedział po chwili milczenia.

– I tu też masz zasługę, synu. Boże piękno po to jest, aby radowało. Grzech ignorować doskonałość dzieła Stworzyciela. Ona się przecież wszystkim podoba. No, dalej, synu. Pijaństwo, synu, wulgarność w mowie, mój synu, pomiatanie podwładnymi, synu kochany,

okrucieństwo wobec miejscowych. Tylko mi, synu, mów
ile razy…

– Ale jako zawodowy żołnierz…

– Nie kręć jak gówniarz, synu. Kto się usprawiedliwia, odpycha miłosierdzie.

W kaplicy długo paliło się światło.

*

Kiedy następnego dnia po śniadaniu siostra Perfekta,
przepasana fartuchem, zmywała podłogę w kuchni misji
charytatywnej, otworzyły się drzwi i weszły dwie posta-
cie. Jedną z nich był obdartus w wojskowych butach,
niewidomy nastolatek Idris, który od dawna dorabiał
sobie jako tłumacz przy polskiej misji, Perfekta znała
go od miesięcy. Drugą była wysmukła młoda kobieta
w całkiem zasłaniającej twarz szafirowej burce. Tłumacz
przedstawił ją jako żonę Harszida i Perfekta od razu
przypomniała ją sobie. Posadziła gości przy stole i nalała
soku w plastikowe kubki.

Kobieta w burce, Leila – mimo że komunikowała się
przez tłumacza, mimo że spoza zasłony widać było nie
więcej niż blask czarnych oczu – zrobiła na Perfekcie
jak najlepsze wrażenie. Mówiła śpiewnym, łagodnym
sopranem, w którym wyczuwało się uśmiech. Powiedziała, że ogromnie ucieszyło ją, że Harszid zakochał
się w nowej kobiecie, bo miał ostatnio masę problemów
w pracy i chodził jak struty. Nowa miłość odmieniła go
psychicznie i fizycznie, a do tego Perfekta spodobała się
jej jako nowa żona. Dlatego całym sercem zaprasza ją
do rodziny, tym bardziej że byłaby to okazja, aby pozbyć się Mihri, zaciekłej wahabitki, a do tego niechlujnej

plotkary. A nasz Harszid to taki dobry mąż! Jest schludny i sprawiedliwy, zarabia godziwie. Nie bije więcej niż trzeba dla utrzymania porządku i prawie nigdy nie ma go w domu! Chrześcijanki nie mają bladego pojęcia, jak miło jest w grupie żon, gdzie można się dzielić pracą, wymieniać wiedzą kulinarną i krawiecką, razem omawiać prowadzenie się sąsiadek i wychowanie dzieci. Leila nie wyobraża sobie życia jedynej żony mężczyzny. Z kim pogadać o obejrzanym właśnie odcineku serialu? Przecież nie z chłopem! No i noce bez zmienniczki?!

Perfekta podeszła do Leili i objęła ją mocno – szyitka pachniała dobrym mydłem i Chanel numer pięć.

– Wiem, że zostaniemy przyjaciółkami – powiedziała mniszka. – Nie będę się pakowała do waszej paczki, bo mam inne plany. Harszid jest fantastyczny, gratuluję.

Leila wysłuchała, jak to tłumaczy zakłopotany sytuacją Idris, i roześmiała się. Nie potraktowała poważnie odmowy Perfekty. Powiedziała, że najlepiej będzie wyznaczyć spotkanie rodziców Perfekty i rodziców Harszida. Bo sprawy finansowe muszą być obgadane bez niedomówień i spisane przy świadkach. Chłop jest napalony, a na biednego nie trafiło. Pięćset czy sześćset owiec, tuzin wielbłądów na dokładkę to dla niego nic. Może też być co innego, jeśli rodzice Perfekty nie mają pastwisk. Rosyjskie albo amerykańskie rakiety ziemia--powietrze. Można wytargować zwiadowczy samolocik bezzałogowy. To teraz idzie na czarnym rynku jak woda. Oczywiście są także inne możliwości: można nalegać, aby zapłatą były obligacje rządu USA, akcje koncernu

Apple'a czy McDonald's. Ale to już ryzyko, to dla graczy, kryzysem straszą…

Na brzoskwiniowych policzkach siostry Perfekty zaperliły się łzy. Pomyślała o tym, jak daleko są jej rodzice i jak bardzo zagraża im to, o czym wie nawet prosta Azjatka. Kryzys, widmo bańki spekulacyjnej, która wypucza się znowu w wirtualnych przestrzeniach światowego systemu finansowego. Tej bańki nie da się nakłuć zastrzykami finansowej pomocy rządowej, tylko puchnie jak rybi pęcherz wyszarpnięty z oceanicznych głębi. Głosem, w którym brzmiało głuche łkanie, Perfekta ponowiła odmowę. Nie, nic z tego. Pozdrowić panie z haremu, ukłony dla pana Harszida, nasze drogi rozchodzą się i nie ma na to rady. Wyprawiła Leilę i Idrisa z torbami koncentratów pomidorowych, mleka w proszku, szamponów przeciwłupieżowych i zeszytów w kratkę, dorzuciła tłumaczowi banknot dolarowy.

Gdy znikli, na łap-cap zakończyła porządki. Poprawiła kraciaste firanki, podlała pelargonie. Chciała przed południowym nabożeństwem spędzić choć chwilę nad klawiaturą laptopa. Chociaż wielka odległość dzieliła ją od nauczycielki, Perfekta cierpliwie kontynuowała naukę. Tu nie była nawet w nowicjacie, przyszłość mogła potoczyć się różnie. A pojawiały się nowe teorie społeczeństw nastawionych na rentę, odkrywcze matryce ubezpieczania pakietów prognoz bessy na rynkach krajów upadłych. Wszystko to ujęte w matematyczne formuły, zmienne jak barwy nieba o wschodzie, musujące bąbelkami nadziei zysku, ekscytujące wizją opłacalnego ryzyka. Perfekta chwilami czuła się uzależniona od tych emocji, chciała już lecieć z tym do spowiednika, jeno było jej żal księdza Władeczka, bała się, że zacny i żarliwy kapelan niewiele pojmuje ze światowej gry idących przez giełdy fal strachu i chciwości.

*

Siostra Perfekta dojeżdżała rowerem do szkoły dla sunnickich dziewcząt w starej twierdzy królów kebabczerskich za bazarem Chanochaczajskim. Uczyła angielskiego, miała też wykłady z higieny. Generał Zakrupa przeważnie posyłał z nią niewielką eskortę – drużynę saperską na pojeździe Buffalo, wykrywającym miny i detonującym je *à la fourchette*, pluton grenadierów na dwu transporterach Żbik, czasem helikopter szturmowy, jeśli jaki był sprawny.

Siostra lubiła swoje uczennice, w większości odkrywające już twarz, ubierające się w czadory, nie w burki, często bez kapturów, osłaniające głowy tylko hidżabami. Dziewczęta były pilne, zdyscyplinowane i pogodne, w równym stopniu ciekawe szerokiego świata, jak potrafiące trzymać swoją ciekawość na wodzy. Perfekta z rozwagą dawkowała im wieści o życiu rówieśniczek w innych krajach, na zajęciach posługiwała się tekstami Dickensa i Chestertona, tak aby dziewczęta z Dżamijabadu trwały na razie przy wizji patriarchalnej rodziny, zasobnego społeczeństwa, w którym otoczeni szacunkiem bogaci żyją wygodnie i dają biednym uczciwie zarobić na skromne utrzymanie. Wywoływała obrazy spokojnych tea-party przy kominku, eleganckich partii krykieta i przejażdżek bryczką wśród zielonych pastwisk i spokojnych wiosek starej dobrej Anglii. Chwilami przyłapywała się na tym, że sama tęskni za tamtym światem.

Nazajutrz po spotkaniu Perfekty z Leilą, żoną Harszida, ledwie zaczęta lekcja została nieoczekiwania przerwana. Załomotano w drzwi. I bez czekania na odpowiedź wszedł szef żandarmeryjnej ochrony szkoły, rosły sierżant w kamizeli pancernej, z radiostacją na hełmie. Oznajmił, że przyszły jakieś panie, pewnie z komitetu rodzicielskiego. Mówią, że pilna sprawa, i to tylko do siostry.

Perfekta poczuła się niepewnie. Na poprzedniej lekcji jedna z dziewczyn zapytała co to są *go-go girls* i wyjaśnienia może były zbyt szczegółowe, a mało budujące. Matki mogą mieć żal. Otworzyła powieść Dickensa *Nasz wspólny przyjaciel* na rozdziale o proszonym obiedzie i dała do czytania najstarszej z uczennic, o najlepszej wymowie. Przejrzała się w lustrze, czy spod zakonnego kornetu nie wysnuwa się ani jeden kosmyczek włosów, i poszła do kancelarii. Zastała cztery nieznane sobie kobiety w błękitnych burkach, całkowicie zasłaniających twarze. Usiadła za biurkiem, naprzeciwko milczących, nieporuszonych postaci. Nie czuła się zbyt pewnie. Jak wyjaśnić te go-go kluby, jak się usprawiedliwić?

Najwyższa z kobiet wstała i jej burka osunęła się na podłogę. Harszid Ben Ali! On sam, w nienagannie skrojonym mundurze oliwkowej barwy, w wyszywanej paciorkami burej czapeczce na głowie, bez broni, ale groźny. Był jak skała twardego męskiego bazaltu, wznosząca się nad błękitną zatoką odrzuconej szaty kobiecej.

– Wskazałaś mi drogę i idę – odezwał się. – Ale muszę wiedzieć, że to jest droga do ciebie.

Każda by się zarumieniła na te słowa. Nawet aktorka stale żywiona pochlebstwem. Perfekta zarumieniona, milczała bezradnie.

– Rozmawiałem z księdzem Władeczkiem, zaczynamy katechezy – mówił watażka. – Już na drugiej okazało się, że nie mogę mieć czterech żon. Zostawiłem sobie Leilę…, a prawda, kazała cię serdecznie pozdrowić. Na razie, chyba muszę mieć kogoś. Tych trzech nie mogę odesłać rodzinom, nie zasłużyły na to. Starały się być dobrymi żonami. To nie ich wina, że stanęłaś na mojej drodze. Przemyślałem to, dlatego oddaję ci je do zakonu. Przyrzekły mi, że będą posłuszne i pobożne.

– Harszid, wolnego! – wyrwało się Perfekcie. – Za szybko to wszystko. Przyhamuj, dobrze? Przecież one nawet nie są ochrzczone. Liczy się to, czy one chcą zmienić wiarę…

– To moja miłość już się nie liczy? – z goryczą wyrzucił z siebie Harszid. – Posyłasz mnie, a potem zatrzymujesz w pół drogi? Chcesz robić wodę z mózgu absolwentowi amerykańskiej prestiżowej uczelni? Ja skończyłem West Point z wyróżnieniem! Patrzaj no! Oto hasło szkoły siną farbą na piersiach wykłute!

Szarpnął mundur i stropionej mniszce ukazała się pyszna śniada muskulatura ozdobiona tatuażem – u góry samolot i gwiaździsty sztandar, u dołu łódź podwodna i gwiaździsty sztandar, pośrodku litery ozdobne: DUTY HONOR COUNTRY. „Ciacho", pomyślała Perfekta, a potem przez moment zakręciły się łzy w jej ślicznych chabrowych oczach. Przypomniała sobie inny tatuaż, innego mężczyznę. „Nie, nie wolno się mazać w takiej chwili", powiedziała sobie. Stwierdziła, że parę głębokich oddechów pomoże.

– Posłuchaj mnie, Ben Ali – odezwała się po chwili już całkiem opanowana. – Nie mieszajmy mocarstw atomowych w nasze prywatne sprawy. Nie rób z tego, co nas łączy, hollywoodzkiego melodramatu. Mówię ci, przyhamuj.

– Moje serce to szalony koń z wąwozów Gór Kebabczerskich – krzyknął Harszid. – Nikt mu nie założy wędzidła, nikt nie zatrzyma cwału! Jeśli nie weźmiesz sobie tych moich kobiet, one zginą!

Wrzasnął coś chrapliwie do towarzyszących mu pań i te z mechanicznym posłuszeństwem rozchyliły burki. Wszystkie trzy miały na sobie parciane pasy z kieszeniami pełnymi ładunków wybuchowych, dokładnie takie, jakie niedawno pokazywano Perfekcie i pozostałym siostrzyczkom na szkoleniach prowadzonych przez oficerów z amerykańskiego kontrwywiadu. A zapalniki chyba nawet były nowej generacji.

– Ani się waż, Ben Ali – powiedziała Pefekta. – I zapamiętaj, że ze mną tak się spraw nie załatwia. Idź sobie, a one niech zostaną. Idź, ale zaraz. Nie mogę patrzeć na ciebie.

Cały czas gotowa na huk eksplozji siostra Perfekta gestami uspokoiła żony – czy już byłe żony – Harszida. Przerażało ją to, że poddawały się tak ulegle, jakby były z plasteliny. Usadziła je na krzesłach i zatelefonowała do generała Zakrupy. Powiedziała, że w szkole jest żółty alert, poprosiła o drużynę saperów i trzy zapasowe rowery. Potem pobiegła do klasy i zawołała

63

do sekretariatu uczennicę dobrze radzącą sobie z angielskim. Za jej pośrednictwem siostra zwróciła się do byłych żon, czy już może katechumenek, żeby zachowały się godnie i skromnie, gdy saperzy przyjdą je rozminować. Zapewniła je o profesjonalizmie i dyskrecji. Z saperami mogła porozmawiać po polsku i zajęło to jej sporo czasu. Wiedziała, że biedne chłopaki karmią się filmikami porno i bliskość kobiecego ciała może ich sprowokować.

Parę godzin później wzdłuż bazaru Chanochaczajskiego i dalej, w stronę bazy Wesoły Roger, jechały pomalutku dwa transportery opancerzone. Wychyleni z klap obserwacyjnych kierowcy starannie dostosowywali tempo do czterech rowerzystek jadących między ich pojazdami. Jedna była ubrana w strój zakonny, trzy pozostałe aż po oczy otulone w modre burki.

Wieczorem czekała jeszcze Perfektę niełatwa rozmowa z matką przełożoną, zatroskaną nie na żarty Plusqamperfektą.

– Muszę je wpisać do nowicjatu – stwierdziła ze zgryzotą zażywna zakonnica. – To wbrew regule i prawu kanonicznemu, ale jakoś trzeba je zaksięgować, wciągnąć na listę żywienia, załatwić przepustki. Przecież zdrowych silnych bab nie położę do szpitala, kiedy chorzy czekają na miejsce. A ciebie za ten nadmierny urok osobisty powinnam wysłać do kraju. I cześć…

– Nie, matko kochana…

– Pewnie, że nie. Z tym Harszidem sprawy poszły za daleko. Może byś za niego wyszła, ksiądz Władeczek bardzo go polubił. Te wszystkie sprawy religijno-rodzinne

jakoś się rozplącze, wszyscy jesteśmy tylko ludźmi. Podoba ci się?

– Nie. To znaczy tak, bardzo.

– No to...

– Wykluczone, mateczko. Mam inne plany.

Musiała teraz wytrzymać długie, zatroskane, pełne przygany spojrzenie przełożonej. Pochyliła się nad
kubkiem z ziółkami, o który grzała dłonie, wbiła wzrok
w zawiły deseń na ceracie kuchennego stołu. Słuchała
strzelaniny, która wybuchła gdzieś daleko.

– Twoje plany – prychnęła Plusquamperfekta. –
Ciągle pozostajesz tą samą egoistyczną smarkulą. Przy-
jęłam cię pod nasz dach, bo jesteś córką mojej koleżanki
i trzeba cię było schować. Co ty sobie właściwie myślisz?
Nie czujesz się niewolnicą swoich planów?

ROZDZIAŁ TRZECI

Trzecia strona ekranu

Był rzeźwy i wonny poranek tatrzański w końcu maja. Kierujący limuzyną prezydenta major w cywilu wpatrywał się w plecy swojego szefa i skrupulatnie regulował tempo opancerzonego pojazdu. Miał jechać w ściśle ustalonej odległości od biegnącego skrajem asfaltu prezydenta. Nie wolno mu było się zbliżyć, a jednocześnie nie miał prawa tracić go z oczu mimo coraz węższych i bardziej stromych serpentyn. Siedzący obok kierowcy sekretarz prezydenta popatrywał z wyrazem skupienia to na gruchający poleceniami GPS, to na trzymaną na kolanach mapę, to wreszcie na wskazówkę sekundnika na swoim rolexie. Było pod górę, a przecież prezydent, ubrany w granatowy sportowy komplet firmy Lacoste i białe sportowe pantofle, biegł, jakby był młodzieńcem – równo, lekko, sprężyście. Czasem tylko sięgał po rąbek białego ręcznika frotté i ocierał nim pot z twarzy. Ruch na szosie był minimalny, odpowiednie służby zadbały o to, aby tu rozpocząć remont nawierzchni, tam obalić TIR-a z przyczepą, gdzie indziej zasadzić patrole z radarami. Z rzadka przemykał jakiś Słowak z bagażnikiem pełnym zakupów albo śpieszący na Bałkany tranzytowiec.

Za starym szałasem Gilów nad Wyżnią Kiczorą od asfaltu biegła w dół wąska kamienista droga, jedna z tych, które tworzą tu niepojęty labirynt szlaków i perci lasu Hurkotne. Prezydent skręcił w tę drogę i znikł. Kierowca zatrzymał wóz, podbiegł do bagażnika, stuknął otwartą dłonią w blachę, nacisnął przycisk zamka. Z bagażnika wyskoczył Pierwszy Sobowtór prezydenta, on też miał sportowy strój, ręcznik na szyi i białe pantofle. Sekretarz prezydenta na moment zastąpił mu drogę, grzebykiem poprawił mu fryzurę, obsunął o milimetr ciemne okulary na nosie. Sobowtór ruszył przodem, samochód odczekał, aż dystans będzie odpowiedni, i ruszył za nim. Było znów tak jak minutę wcześniej, tylko prawdziwy dostojnik mógł w pełnej dyskrecji ruszyć samopas ku zadaniom wielkiej wagi i złożoności.

Prezydent już nie biegł. Szedł w dół, w las, w chłodnym zielonkawym cieniu ogromnych smreków. Schodził szybko kamienistą drogą, ostrożnie stawiając nogi na głazach, przekraczając zwalone pnie i zbaczając jagodowe kępy by ominąć kałuże. Na polance, która odsłoniła się nagle, pachniało żywicą i dymem. W trawie pełno było płatów świerkowej kory i usychających gałęzi. A tam, gdzie ścieżka ponownie zanurzała się w gęstwinę, stał nieduży zielonkawy namiot, przed którym na dogasającym ognisku podzwaniał przykrywką okopcony czajnik. Prezydent schylił się nieco, aby wejść w mrok pod namiotem, zdjął ciemne okulary. Teraz mógł widzieć cokolwiek.

Polowy stolik, dwa składane krzesła. Na jednym,

67

twarzą do wejścia, siedział człowiek w nieokreślonym wieku, ubrany w szary pomięty garnitur i białą koszulę bez krawata.

– No, jesteście, Kołatiuk – powiedział prezydent.

Kołatiuk skrzywił się. Nie lubił jak niepotrzebnie wymieniano jego nazwisko. Nawet tu, w górskiej głuszy. Przywitał się z prezydentem, stając na baczność i pochylając głowę, a potem bez pytania wyszedł po czajnik i nalał dwie szklanki herbaty. Milczeniem zbył uwagę swojego gościa, że na górskiej wodzie najsmaczniejsza. Wyczekująco patrzył na prezydenta wodnistoszarymi oczami bez wyrazu.

– Sytuację znacie, od sportowców nie dostałem tego co trzeba – zaczął prezydent i w miarę jak mówił, stawał się coraz smutniejszy. A nawet mniejszy. I to krzesło pod nim jakby tonęło w młodej murawie wszystkimi czterema nogami. – Cały naród czeka na sukces. Bez sukcesu nie będziemy mogli w spokoju przeprowadzić tych zmian, które są konieczne. I dalej, jeśli nie będzie sukcesu, po władzę sięgną awanturnicy. Wtedy wymiana ministra, czy nawet całego rządu nie wystarczy, będę chyba musiał wymienić całe społeczeństwo. Wyniki, jaki uzyskali sportowcy... No cóż. Sami wiecie. Liczyliśmy, może pochopnie, na sukces w dziedzinie sztuki. Na biennale w Wenecji reprezentował nas Nigeryjczyk z Luksemburga. To nie przemówiło do narodu, mimo że kolor był w porządku, politycznie słuszny. Obiecywaliście, że dopomożecie, zakrzątniecie się przy tym, aby artyści błysnęli jakimś Noblem czy Oscarem.

– No i byłoby – jęknął głucho Kołatiuk. – Młodą

pisarkę lansowaliśmy, film też był promowany. Na europejskim poziomie, z gołą babą, pirotechniki sporo. Ale zawsze jakieś kłody pod nogi... Zawsze kłują w oczy, że ci zagraniczni tacy czy owacy, a my w mniejszym stopniu. Przecież my nie wypadliśmy Europie spod ogona!

– Co było, to było – posępnie podsumował prezydent. – Kłody pod nogi są. Nawet naszym chłopcom na Strychu Świata rzucają. I kłody, i bomby nawet.

– Ostatnio mniej – skorygował natychmiast Kołatiuk.

– Wiem! – Prezydent nie znosił takich mędrków, co wymachują połową prawdy jak terier złapanym szczurem. – Wiem. Ale akurat tam pojawiły się dodatkowe aspekty. Musimy mieć sukces. Posyłamy film do Cannes. Ma być Złota Palma. Parę innych nagród też by się przydało. Ale nie interesuje nas nic poniżej Złotej Palmy. Miałem sygnały, że poślecie tam kogoś, na kogo można liczyć.

– Już miesiąc temu wyznaczyłem grupę odpowiedzialnych pracowników, którzy po paru naradach zwrócili się w tej sprawie do ekspertów – zaczął Kołatiuk bezbarwnym głosem. – Różne za i przeciw, wieloaspektowo. Także komórka pilnująca tajności nadsyłała regularnie raporty.

– O czym? – Prezydent starał się nie okazywać zniecierpliwienia.

– O niczym. Bardzo szczegółowe, z dokumentacją zdjęciową i wykresami. Nie było prób złamania kodów, nie było poleceń planowych wycieków. Nikt się nie podszywał i nikt nie próbował przekupić. Żadnych uśpionych agentów nie przebudzono. Obrady komórki odbywały się za zamkniętymi drzwiami, mam tu czterogodzinny film przedstawiający te drzwi podczas akcji. Ani razu nikt ich nie otworzył. Obejrzymy?

– Na razie dziękuję. Kogo wysłaliście do Cannes?

– Właśnie objaśniam. – Coś w rodzaju bladego uśmiechu zagościło na twarzy Kołatiuka. I zaczął mówić dwa razy wolniej. – Została wytypowana wstępnie odpowiednia osoba. Z tym, że próby skontaktowania się z tą osobą…

– Chyba nie macie kłopotu z kontaktowaniem się z własnymi pracownikami? – Prezydent podskoczył nerwowo na krzesełku i opadł. Nogi krzesełka wbiły się jeszcze parę centymetrów w grząski grunt polany.

– Osoba, o której mówię, nie jest naszym pracownikiem. W styczniu, w ramach oszczędności, zrobiliśmy przegląd kadry i dokonaliśmy cięć. Tak się złożyło, że za tą osobą właściwie nikt nie stał i poszła do cywila. Nawet udało się przyczepić jej jakąś dyscyplinarkę, żeby nie dać odprawy. Oszczędności były wtedy priorytetem.

– Więc nikogo tam nie poślecie? Jedno jedyne ważne zadanie waszego pionu i co?! Wtopiliście znowu?! – Prezydent aż zatrząsł się z gniewu i niepotrzebne wibracje znowu obniżyły jego punkt widzenia. I siedzenia oczywiście.

– To przeczerniony obraz sytuacji – bronił się blado jego rozmówca. – Mieliśmy łut szczęścia. Pomogło wojsko. Jest taka supertajna jednostka rakietowa do obrony gmachów rządowych, rezydencji i innych obiektów tej rangi. Ze względów taktycznych musi być lokowana niedaleko śródmieścia. Były z tą jednostką kłopoty, bo zachodziły nieprzyjemne incydenty. Tam jakieś licea są w okolicy, zawodówka jakaś. Młodzież okazywała się agresywna. Bili żołnierzy, wyzywali, mazali maziugi po murach, wartownikom raz i dwa odebrano broń, czapkę, nawet pas główny. Zanieczyszczenia też były. Ostatnio ci młodzi zaczęli sobie sprowadzać z zagranicy koleżków do takiego hecowania. Okrzyki w obcych językach i tak dalej…

– Młodzi szlachetni pacyfiści. – Prezydent westchnął. – Gorące serduszka.

– Tak czy owak, poproszono nas o ochronę – kontynuował Kołatiuk. – Odmówiliśmy, bo to nie nasza działka ani nawet kadry nie mamy dość. Kto by tam zresztą chciał się użerać z gówniarzami. Trzeba jednak trafu, że bratanek szwagra pułkownika Łapejki założył właśnie firmę ochroniarską. Młody człowiek, wart, żeby mu pomóc. Rozwiódł się, więc duże miał wydatki. Wydział organizacyjny się wykazał. Legalnie, z przetargu, ta właśnie firma, Tarcza i Miecz, wygrała i dostała to zlecenie. Było potem sympatyczne przyjęcie w miłej restauracji w Pyrach, często tam podobne okazje obchodzimy. Kto podpisze kontrakt, musi mieć szansę wyrażania wdzięczności, prawda? Było bankiecisko. Szef firmy wyświetlił nam film o swojej kadrze w akcji. Raczej twardziele, raczej się nie patyczkują. Pały mają, że się dawne czasy przypomniały. Ale jest w składzie kilka dziewczyn, oj, wcale nie dla ozdoby. Nie daj Boże z taką mieć kłopot. Oglądam ten film, patrzę, jest nasza była pracowniczka. Czarna Daniela w kombinezonie z naszywką „Tarcza i Miecz" dała taki pokaz wschodnich sztuk walki, że nawet ten od *Wejścia smoka*, ten Bruce Lee, po minucie pytałby, gdzie tu jest wyjście.

– I ona do Cannes teraz? Czarna Daniela?

– Sza, sza, panie prezydencie! Czarna Daniela to ksywa, tak naprawdę ona nazywa się inaczej. Ale jest czarna, bo zmurzyniona. Jej mamą jest polska czołowa wokalistka technocampowej kapeli, a tatą był chyba cały karnawał w Rio. Danielka wychowała się na wsi zabitej, u babci w puszczy, gdzieś za Rospudą. Wcześnie uciekła z domu, bo wylali ją z gimnazjum za to, że zmusiła syna dyrektora, aby zjadł dziennik lekcyjny. Wołał za młodszą koleżanką: „Mulata gdzie twój tata" i musiał tę celulozę karnie przyswoić.

– I co, załatwiliście? Ta pani wraca do służby, jedzie na festiwal?

– Rozmowy trwają, panie prezydencie. Pani do służby wrócić nie może, bo miała dyscyplinarkę. No i nie zapłacimy jej tyle, ile ma w agencji ochrony, bo nasza siatka płac nie pozwala. W Tarczy i Mieczu idą nam na rękę, przyjmą zlecenie na tę filmową robotę, z niedużym tylko narzutem do katalogowej marży na zlecenia zagraniczne.

– Budżet to musi wytrzymać – oświadczył prezydent, zaciskając szczęki. – Sukces potrzebny i koniec.

– To cały czas bierzemy pod uwagę – powiedział Kołatiuk. – Kłopoty są z samą Danielą. Ona żąda premii.

– Jak się powiedzie, budżet musi i to wytrzymać – odparł prezydent ze stanowczością prawdziwego męża stanu.

Kołatiuk przez chwilę patrzył w oczy męża stanu nieruchomym spojrzeniem bez wyrazu. Zbierał się na odwagę. Woda bulgotała w czajniku przed namiotem, gdzieś wysoko zaśpiewał ptak. Cóż wie głupi ptak o kłopotach mężczyzn na stanowiskach państwowych?

– Tyle że jej nie biega o pieniądze – odważył się w końcu odezwać Kołatiuk. – Ona ma żądania osobiste i mierzy wysoko.

– Senat czy sejm? W porządku. – Prezydent uśmiechnął się. – Będą wybory i naród ją wybierze. Z tym mniejszy nawet kłopot.

– Mierzy wysoko – powtórzył Kołatiuk. – Ona chce wydać za mąż swoją przyjaciółkę, pannę z dzieckiem. Ona chce, żeby mężem był starszy syn pana prezydenta.

Zapadła ciężka cisza, nawet czajnik, nawet głupi ptak musiały zamilknąć. Wicher wysokogórski, który już nadbiegał, aby halom i dolinom wieścić królowanie wiosny, zatrzymał się na graniach, jakby i on nadsłuchiwał odpowiedzi na szalone żądanie.

Twarz prezydenta stała się tak groźna i mroczna jak piętrzący się nad wierchami chmurzysty wał, który wieszczy nadejście halnego, południowego wiatru zniszczenia.

– Oszalała – wyrwało się ze świstem spomiędzy zbielałych warg prezydenta. – Oszalały obydwie dziewuchy! Znajdę kawalera, znajdę bogatego, jak trzeba z tytułem nawet, księcia, barona, hrabicza! Ale nie mój Gracjan! Ach nie, nigdy... Zresztą on... Co on? Młodzik, tylko mu sport w głowie, jakieś bolidy, ef jeden, formułki, ściganki...

– Czy mam zerwać negocjacje z Danielą? – twardo spytał Kołatiuk. Jego głos był teraz ostry, dźwięczny, jak ostrze gilotyny. Oczy uderzały w rozmówcę tępo i bezlitośnie, rzekłbyś dwa młoty pneumatyczne.

Powiedziało się: mąż stanu. Mąż stanu znajduje godne wyjście z każdej sytuacji, mąż stanu da celną odpowiedź na najbardziej nawet kłopotliwe pytanie. Twarz prezydenta wygładziła się, wypogodniała.

– Miał pan tu, Kołatiuk, jakiś film do pokazania. No, proszę, pokazuj pan! Ja cenię dokumentację!

Kołatiuk odklapnął laptopa i wkliknął projekcję. Na ekranie ukazały się zamknięte drzwi, a prezydent wpatrzył się w nie z zainteresowaniem. Po godzinie zaczęły mu opadać powieki. Ostatecznie nabiegał się tego dnia, naoddychał świeżym górskim powietrzem. Organizm ma swoje prawa. Po następnej godzinie na rozstajach między Gronkowem a Groniem, w pustym polu z widokiem na Tatry, spotkały się dwie limuzyny. Prezydenta wyładowano z bagażnika. Jeszcze woda kolońska, jeszcze filiżanka wonnej mokki i mąż stanu mógł zasiąść na tylnym siedzeniu limuzyny z teką ważnych dokumentów na kolanach. Pierwszy Sobowtór znikł jak zdmuchnięty halnym, może go nigdy nie było?

*

Dwie kobiety wysiadły ze śmierdzącej wymiocinami, rozklekotanej windy na jedenastym piętrze i wspięły się jeszcze na półpiętro po schodach z surowego betonu. Zatrzymały się przed pomazanymi sprejem drzwiami noszącymi ślady usiłowania włamania. Starsza, siwa dama w paletku z podłysiałym karakułowym kołnierzem, pogrzebała w torebce i wyjęła płaski klucz na tasiemce. Młodsza, w czarnej polowej kurtce z kapturem, odstawiła walizkę, wyjęła z kieszeni kopertę, podała ją starszej. Wzięła od niej klucz.

– Kluczyk do skrzynki na listy zatrzymuję – powiedziała siwa. – Do syna czasem jakieś rachunki czy wezwania przychodzą. Jakby coś było do pani, to podrzucę. Jak pani godność?

– Kowalska. Maria Kowalska. Ale ja korzystam z komputerowej poczty, pewnie nic do mnie nie przyjdzie. Tylko rok…

– Tak, syn mówił, że po roku wrócą. Okno w kuchni… Trzeba uważać przy otwieraniu, chce wypaść.

Kobieta w czarnym kapturze zrobiła lekceważący ruch dłonią. A może był to gest zniecierpliwienia? Otworzyła drzwi i pociągnęła walizkę do środka. Siwa została na zewnątrz. Posłuchała, czy nikt nie idzie, i przeliczyła banknoty w kopercie. Potem dotknęła drzwi z płyty paździerzowej tak delikatnie, jak matka dotyka twarzy śpiącego dziecka. Odeszła ku windzie.

Glorenda rozejrzała się po mieszkaniu. Dwa maleńkie pokoiki z ciemną kuchnią, oddzieloną od pokoju szklanym przepierzeniem przypominającym fasadę kiosku. Z okienkiem. Meblościanki z porysowaną politurą, tapczanik nakryty wypłowiałą narzutą, na ścianie plakat z napisem *Besuchen Paczków, eine Polnische Carcassonne* i reprodukcja Kossaka *Po potyczce* z zakrwawionym bandażem na łbie wąsatego ułana na pierwszym planie. Koń ułana, dorodny bułanek, spoglądał na współczesność wielkiej płyty z ciepłym zrozumieniem. Glorenda pogładziła chrapy bydlęcia z taką samą tkliwością, z jaką przed chwilą siwa dotknęła drzwi, za którymi kiedyś mieszkał jej syn.

Rzuciła na tapczanik polar z kapturem, poszła do łazienki umyć ręce, nastawiła wodę na herbatę, wyjęła laptop z pokrowca i otworzyła skrzynkę odbiorczą. Z układu samogłosek w błahej informacji o cenach miedzi na rynkach wschodnich zorientowała się, że ma ważną wiadomość szyfrową na supertajnym koncie. Spod podszewki pokrowca wyjęła tajny notebook, płaski jak naleśnik. Wprowadziła w jego układy dwa kody dostępu, a potem, gdy znaki zip zip zip złączyły się w hasło jak dwie części zamka błyskawicznego, położyła dłoń na ekranie. Notebook odczytał jej linie papilarne i otworzył dostęp do nadesłanego komunikatu.

Teraz trzeba było wyjąć z torebki dyktafon i powoli odczytać głośno szeregi niezrozumiałych słów, jakich nie ma w żadnym języku świata. Stop. Glorenda podeszła do drzwi wejściowych, wyjrzała przez szkiełko w płycie paździerzowej na zionącą mrokiem pustkę klatki schodowej. A potem zamknęła się w łazience, odkręciła wodę i wetknęła słuchawkę w ucho, puszczając nagranie wstecz.

„Kochana mamo – usłyszała. – Trochę się wszystko kiełbasi. Jakiś idiota haker włamał się do naszej korespondencji, na tę stronę, na której były przesyłane przez ciebie zadania z marketingu pozornych zadłużeń w rozliczeniach międzybankowych, tam były też moje rozwiązania zadań i komentarze na temat użycia deflacji bańki inflacyjnej przy rozdmuchiwaniu złudzeń ratingowych. Ten haker z pewnością działał na oślep. Z naszej korespondencji pewnie niewiele rozumiał, ale przypuszczał, że trafił na dobry towar do szantażu korporacyjnego.

Udało mu się zainteresować dział analiz firmy Spencer, Engels and Poor, kupili od niego nasze materiały. W ciemno i hurtem. Kosztowało mnie sporo zachodu, by dobrać się do protokołów ich Rady Ad Hoc. Oni są przekonani, że my to nie my, tylko nowa organizacja banków Południowego Pacyfiku, rozkręcająca agresywną kampanię wrogich przejęć i spekulacyjnego tsunami za pomocą od rozliczeń jenowo-dolarowych. Ja szarżowałam w zakupach i sprzedażach akcji, bo wszystko było na niby. Te jełopy mogły to sprawdzić, ale uwiodło ich odważne szarżowanie, rozpoznali to jako pewność siebie korporacji debiutującej z ogromnymi rezerwami. Przypuszczają, że Dragon Bank of China jest naszym udziałowcem, zgłaszają się, sypią oferty. Są gotowi wejść do gry jako doradcy biznesowi i spowodować ucieczkę kapitałów z rynków Europy i Ameryki. O ile dobrze wnioskuję, starają się teraz dowiedzieć, dokąd te kapitały miałyby uciekać. Mam pomysł, jak to sprawdzić. Ale są jeszcze inne zawirowania. Dragon Bank of China miał jakiś cynk o nas ze swojego białego wywiadu i wyskoczył z ofertą otwarcia nielimitowanej ścieżki finansowania naszych transakcji. Bieda! Miliardy! A do tego sprawy prywatne moje w impasie. Kocha się we mnie zabójczy brunet, co z tego, że wykształcony, miły i bogaty, skoro żonaty. Ciągnie mnie do niego jak licho, chciałoby się łóżkowo zemścić na tym palancie Szymonie, ale mam resztkę dobrego smaku czy czegoś tam. Nie widzę się z żonatym, kropka. Może to przez te głupowate myśli, jakie mnie nachodzą, gdy wspomnę profesora Okonia i Roberta Pyrskiego. Fajnie, fajnie, a potem facet okazuje się draniem i usprawiedliwia się: ona była taka cudna, ona mi dała nową młodość. Nie tak się z tobą rozstawali? Wacio Waciak to inna historia, inny gabaryt, inna ranga. Wplątał się multi-kulti, w rodzinę kłączowatego modelu Derridy, bo już leciał przez te polityczne przymusy. *Passons*, zostawmy to. Sama zresztą jesteś trochę winna, bo wyczytałam w internecie, że to ty, w ramach ćwiczeń z marketingu politologicznego, wymyśliłaś Bezpartyjne Legiony Dobrobytu i napisałaś statut…".

Glorenda wyłączyła nagranie i sięgnęła po bibułkową chusteczkę. Było, minęło. Maleńka łza. Zielona młodość, studia w Szkole Wdzięku i Przetrwania, młody komputerowiec z Harvardu, który uczył ją technik coachingu, pitchingu i takich tam bajerów. Jak strasznie Ania Podbipięta chciała być Glorendą O'Kohn! – czy w końcu panią Okoń, synową sprzątaczki Okoniowej z Pałacu Kultury i Nauki. Cokolwiek zadał profesor Joe O'Kohn studentce Glorendzie, musiało zostać wykonane i to tak, aby rzucało na kolana Harvard, Yale, Oksford i Cambridge. Przy pierwszej okazji wyborów Bezpartyjne Legiony Dobrobytu weszły do parlamentu jak nóż w masło. Matka Józia Okonia stała podparta mopem na korytarzu, wiadro owiązane szarfą białoczerwoną. „Nie widzicie, że jestem oflagowana?! Zwyciężymy". Potem smakowało to zwycięstwo jak piasek między zębami, hej.

Glorenda otarła łzę, wrzuciła chusteczkę do muszli, z konspiracyjną perfekcją zamknęła klapę. Co dalej w nagraniu?

„I jest w końcu, matusiu kochana, jest ta dziwna sprawa. Biegałam sobie przez internet i nagle znajoma gęba!

Pamiętasz wyburzenie na ulicy Gontyna? To było zło-wieszcze, wróżebne popołudnie. Najpierw Szymon cha-musiowaty jakiś, jakby mu spermę w głowie zbełtały te sanitariuszki z wojsk imitacyjnych. Potem telefon z fir-my Imperium Wizażu, że umówiona manikiurzystka nie może przyjść, a miała mi zrobić tipsy z włoskiego materia-łu, z pejzażami à la quattrocento. Już wściekła, chciałam wychodzić w pijane byle gdzie, kiedy dzwonek i zjawia się manikiurzystka. Mateńko, ona czarna była. Postkolo-nialna w każdym calu, chociaż po polsku gładko, nawet z jakimś kresowym zaśpiewem. I robotę znała – jak mi Zatokę Nepolitańską odpaliła na tipsie, to do Natio-nal Gallery. Mimo to trąciło mnie przeczucie. Wszystko w porządku, kitel z firmy, pudło narzędziowe firmowe, ale myślałam sobie: jak pójdzie, zadzwonię do firmy, coś tu nie sztymuje. Gdzie tam, zadzwonię! W połowie ro-boty te chamy rozwaliły ściany – no co miał zrobić sufit w takim wypadku? Sufit na nas, my do podziemia, jak wy w stanie wojennym. Przetarłam oczy z tynku i co widzę? Zaraz na nas dach gruchnie, wszystkie te krokwie i da-chówy. Cała pieprzona więźba. I nawet na paciorek nie było czasu, jak mnie ta manikiurzystka złapała za włosy i majtnęła w szczelinę między padającą ścianą a łamiącym się dachem. Dach bruga bruga bruga. Poszedł. A teraz – znajoma gęba w internecie. Ja byłam pewna, że ta czarna poległa tam w ruinie naszego przytulnego gniazdka na uli-cy Gontyna. O ile nie wyfrunęła jako Anioł Stróż zakamu-flowany w kitlu służbowym Imperium Wizażu.

Nic się nie mogłam dowiedzieć, bo wtedy urwała mi się fonia z wizją, po tygodniu sama siebie odkryłam na urazówce w szpitalu w Myślenicach, który po kolejnym skurczu reformy służby zdrowia przejął opiekę nad chorymi z Krakowa. Jak dojechałam na Gontyna, deweloper lał już płytę fundamentową i nijak było pytać, czy pod betonem nie leży jakaś kędziorowata manikiurzystka. I teraz w internecie – ona. Bez ściemy. Litera po literze tak było przy tej gębie znajomej. Daniela Ciencabras zwróciła na siebie uwagę mediów w Cannes. Młoda i urodziwa reżyserka z Burkina Faso przywiozła na festiwal film feministyczno-eksperymentalny *Celuję w ciebie, Meruka*. Sensacją było nie tylko, że istnieje film, który praktycznie nie mógł powstać w afrykańskim buszu, bez pieniędzy, bez sprzętu, bez fachowców, bez dostępu do elektryczności i higieny spłukiwanej. Film Danieli Ciencabras został jednogłośnie przyjęty do konkursu głównego, a jego projekcje dla jury, mediów i publiczności stały się najbardziej oczekiwanymi wydarzeniami tegorocznego festiwalu. Czy ja w ten sposób zwariowałam, mateńko? Tu klimat trudny, kłopotów sporo, faktycznie mogła mi szajba odbić. Mogłam na czarno widzieć manikiurzystkę, a potem pomylić ze zdjęciem youtubowym. Brunet żonaty, Szymon świński ryj. Przecież ludzie z miłości świrują. Mogło mi się zdarzyć?".

Glorenda dosłuchała do końca i w zamyśleniu potrząsnęła głową. A potem włączyła nagranie i wyszeptała w zakratowane uszko dyktafonu:

– Nie zwariowałaś, kochanie, wszystko jeszcze przed tobą. A ja zaczynam wiązać porwane nitki. Bądź bardzo ostrożna, bruneta zostaw żonie, a Szymon... cóż, świat się na nim nie kończy. Jak dowiesz się więcej o naszych partnerach bankowych z Azji Południowo-Wschodniej i Pacyfiku, zawiadom mnie kodem „piaskownica". Całuski, maleństwo.

*

Rafał Skorecki wszedł do baru Chez Tante Molly na Rue Barbour, z trudem znalazł miejsce przy barze i zamówił podwójną szkocką z lodem. Zanim umoczył wargi w alkoholu, rozejrzał się. Przy barze nie było do kogo zagadać. Albo tak wielcy, że żadnych szans. Albo nic nieznaczący ludzki plankton, drobnica, osobniki przypadkowe, dziewczyny o urodzie niżej przeciętnej i o wzmożonej gotowości do kontaktu ze światem canneńskich półbogów. Fatalnie. Obrócił się nieco na niewygodnym barowym stołku, teraz mógł spojrzeć na salę. Zobaczył Bułgarkę, Sofkę Parłapanową. Znajoma, bo kiedyś oboje dostali po wyróżnieniu na nie najgorszym festiwalu w Avoriaz. Była w formie, bez makijażu jak to ona, ale po wizycie u pierwszorzędnego fryzjera. Różowy podkoszulek i białe dżinsy, jedno i drugie tanie i pospolite, ale w dziesiątkę, aby podkreślić południową urodę Sofki. Siedziała ze szpakowatym śniadym grubasem w czarnej koszuli, otwartej na włochatej piersi. Złoty łańcuch wśród siwych kudłów na torsie, coś w rodzaju rolexa na przegubie. Mógł to być ekscentryczny argentyński producent, mógł to być jeden z „nowych Ruskich" świętujących tu nabycie kolejnego hotelu, jachtu czy odrzutowca. Skorecki chwycił z blatu swoją szklankę i ruszył ku stolikowi Parłapanowej, ale w tej chwili zobaczył, że na wolnym krześle przy tamtym stoliku siada sam Pierre Delamarre, redaktor naczelny „Cinéma d'Ajourd'hui", prezes jury dziennikarskiego.

No tak, film Parłapanowej dostał się teraz do głównego konkursu. Zawiedziony odwrócił się do swojego stołka przy barze, ale ten był już zajęty przez ciągle jeszcze ponętną Rittę von Vree, menadżerkę z Warner Brothers. Zagadać do niej na stojaka? Z czym? Z tym, że *Zadzwoń, bo zwariuję!* z trudem udało się umieścić w sekcji informacyjnej? Z tym, że zaprasza ją na projekcję o ósmej rano? O tej porze prawdziwe Cannes śpi!

– Niech pan siada, panie Rafałku – usłyszał nagle i ktoś pociągnął go za połę skórzanej kurtki. – Co dobrego u pana?

Obejrzał się i ujrzał Kiejstuta Dowgirda. Kiedy jako licealista chodził na kurs filmowy w domu kultury na Ochocie, pan Dowgird pokazywał chłopaczkom i dziewczynkom z kursu stół montażowy i opowiadał, jak klei się taśmę i po co. Już wtedy pan Dowgird miał jakieś sto lat. Potem, jako student szkół filmowych, jako bezrobotny absolwent, jako początkujący filmowiec, co pewien czas spotykał Kiejstuta Dowgirda na korytarzach wytwórni filmowych, w studiach telewizyjnych, natrafiał na jego nazwisko – małymi literkami – w czołówkach setek filmów fabularnych i dokumentalnych, seriali, sitcomów. Lata mijały, umierały technologie, rodziły się nowe, a stary montażysta ciągle okazywał się potrzebny i skuteczny, ciągle robił swoje i zawsze słyszało się o nim te same anegdoty – że nocami zakrada się do montażowni cudzych filmów i po swojemu wszystko przerabia i poprawia. Że pije kawę z plasterkiem cytryny, zagryza kaszanką – czarne do czarnego – że skoro wyśle się go gdziekolwiek, do Radomia czy Valparaíso, zawsze w jego pokoju hotelowym spotykają się starzy jak on Żmudzini, piją wódkę i do świtu śpiewają stare żmudzkie pieśni.

Jego obecność w Cannes była zaskoczeniem, ale nie tak znowu wielkim, czasem z usług starego pana Kiejstuta korzystali filmowcy z krajów bałtyckich, Niemcy, nawet Rosjanie z Królewca. Teraz siedział nad filiżanką kawy z plasterkiem cytryny, a na stoliku przed nim piętrzył się stos reklamowych folderów firm produkujących urządzenia filmowe i rozprowadzających programy do komputerowego montażu i animacji. Ubrany był w prążkowane dżinsy ogrodniczki, wystrzępione w połowie łydek, i białą koszulę z czarnym krawatem. Jak na Kiejstuta – uroczyście.

Kiejstut jak zawsze wypytał najpierw o rodzinę, potem dopiero o filmy. Zresztą wiedział już, że *Zadzwoń, bo zwariuję!* dostało się tylko do sekcji informacyjnej, że przydzielili fatalną porę projekcji. Nie dało się też ukryć, że Dowgird jakimś cudem zdołał już obejrzeć film i swoją wyćwiczoną latami pracy pamięcią ogarniał *Zadzwoń* scena po scenie.

Rafał Skorecki wypił kolejną whisky i rozgadał się. Miał współczującego słuchacza, i to kogoś z branży, rzadka okazja. Opowiedział, jak go wprowadzili w stan ogłupienia. Dwa razy zaproszono go do Pałacu Prezydenckiego, prezydent rozmawiał z nim przez cały kwadrans raz, przez pół godziny drugi raz, zapewniał, że ministerstwa i służby wszelkie dopomogą, bo Polacy zasłużyli na sukces polskiego filmu, na potwierdzenie, że i w dzisiejszej dobie są narodem z najwyższej półki. Prezydent ściskał mu dłonie, a na odchodnym wręczył na szczęście parę swoich butów do joggingu. Tacy jak pan, panie Rafku, muszą zajść wysoko, daleko, dobre buty się przydadzą. W gazetach wszystkich były entuzjastyczne komentarze, zdjęcia Rafała z prezydentem, Rafała z butami, fotosy z filmu Rafała obok. A jednocześnie wszyscy, którzy mieli doprowadzić film najpierw do Cannes, potem do nagrody – po prostu w sposób otwarty, świński, chamski zawiedli: przeszkadzali, spóźniali się, źle wypełniali formularze, błędnie rezerwowali loty i hotele, mylili się w zaproszeniach na konferencje prasowe, przygotowywali niejadalny catering i kazali go popijać najmarniejszymi trunkami. Kopie pokazowe ginęły, listy dialogowe były tłumaczone przez szwagierki nieznające języków. Na pokazach promocyjnych kabiniarze mylili pudełka z taśmą i na ekranie finał pojawiał się w połowie projekcji.

– A pan? Co na to, panie Rafale? – spytał Kiejstut Dowgird. Jego pomarszczona poczciwa twarz, nieporządnie zarastająca siwą szczeciną, wyrażała szczere ubolewanie.

– Mnie było wszystko jedno – ponuro odparł Skorecki. – Myślałem, aby się wycofać, ale nie mogłem, były te buty od Prezydenta. W końcu mój pradziadek walczył w powstaniu wielkopolskim. Wprawdzie po złej stronie, ale jako pruski żandarm musiał. Wie pan, dlaczego mi było wszystko jedno? Ja już nie miałem serca do tego filmu. Sześć razy przerabiałem scenariusz, bo na początku miał być film biograficzny o mojej rodzinie. Wie pan, nostalgia, tajemnice młodości rodziców, sny, wizje, poetyckie dotknięcie erotyczne. Odrzucali, chcieli więcej polityki i pirotechniki. Poszedłem w tę stronę pod naciskiem, ale umyśliłem sobie przemycić to, co stało się dla mnie aktualne, wiedziałem, że widzom potrzebny jest bohater, który się gnie pod ciężarem winy. Ucieka przed samym sobą korytarzami wielkiego pałacu narodowej historii, a sklepienia walą mu się na czerep. W końcu upchałem to w tekście, wykłóciłem się, wychodziłem, dopiąłem tego, że mi zatwierdzili scenariusz, i zacząłem produkcję. W scenariuszu miałem tę ludzką sprawę, niestety tak mi się wtrącali do produkcji, że ze scenariusza tylko strzępy ocaliłem na ekranie. Przez pewien czas utrzymywał się tytuł roboczy *Noc czerwonych wilkołaków*. Feministki zażądały, aby zamiast generała Sierowa weszła Wanda Wasilewska, ale potem był przeciek z ambasady rosyjskiej, że przykręcą gaz całej Europie, więc i Wandę mi skreślili. Została pirotechnika i wilkołaki. Wtedy przyszła decyzja, że dogra się sceny z Laurą Grozą, bo młodzież waliła na jej koncerty. Laura równa się kasa. I przetoczyło się wszystko w stronę komedii romantycznej. Próbowałem przynajmniej na drugim planie zachować to, co było w scenariuszu wielkie. Wieczną winę naszego narodu. Sceny z Laurą Grozą dokręcałem na cmentarzach przeważnie. Dałem w dokrętkach rolę mojemu starszemu bratu, jego profil to opowieść o występnej przeszłości. Tyle że on się pojawia w mroku, krótko. Nie dla każdego to czytelne. Brat gra malarza abstrakcjonistę, który we śnie maluje portret Mieszka Piątego. To jakby autoportret każdego z nas. Ten profil, a na skroniach korona, kawał żelaza z Nowej Huty, obręcz narodowa ciężka dziedzictwem samowoli, prywaty i chaosu ducha. Napije się pan? Ja muszę jeszcze jedną whisky. Te trzy dni czekania na projekcję przy pustej sali trudno będzie przetrwać na sucho.

– Rozumiem. Tuwim mi mówił, że trzeźwość jest stanem przejściowym – odpowiedział stary montażysta. – Jak pan pozwoli, to ja bym jeszcze usiadł do tego pańskiego filmu, nadał mu ostateczny sznyt.

Tu Kiejstut Dowgird spojrzał pytająco na młodego reżysera, a ten po momencie wahania przyzwalająco pokiwał głową.

Kiedy kelner przyniósł whisky, Żmudzin przelał dwie trzecie zawartości szklanki Rafała do swojej.

– Dziadek Piłsudski zawsze mówił: chowajcie mi takich młodych jak lwowscy harcerze, a nie jak warszawskie pijusy. Idę ci, panie Rafałku, na rękę, poświęcam się, piję za ciebie, ale mam sprawę. Jakieś tam odrzucone materiały z twojego filmu mi potrzebne. Każda sekunda projekcji się przyda. Dawniej mówiliśmy: każdy metr taśmy. Ja tu jednej dziewuszce pomagam kończyć takie awangardowe kino, od różnych zbieram fragmenta, bo łatać trzeba, a pośpiech duży. Już z pana montażystką dogadałem się, Małgrzysia to moja uczennica, przyśle mi internetem. Zgadzasz się pan, panie Rafałek?

– Bierz pan, co chcesz – ponuro rzucił Skorecki i łyknął oszczędnie. – Nie mam serca do tego materiału. Dziesięć lat krócej będę żył przez te cyrki z wilkołakami.

*

Dwa dni później media zatrzęsły się od sensacji. Wielkie czarne lub czerwone litery. Olśniewająca Mulatka wyszczerzona w zwycięskim uśmiechu. Albo ta sama ona zapatrzona boleściwie na krzywdę Afryki. Hebanowa

Nefretete bierze wszystko – wrzeszczały tytuły gazet. Piękność z buszu uczy Europę nowego języka kina. Film *Celuję w ciebie, Meruka* trafia do serca każdego z nas. Manifest postkolonialnego feminizmu faworytem w Cannes. Pierre Delamarre – obejrzałem film Danieli i teraz nie wiem, czy większy wstyd być mężczyzną, czy być białym. Chciałbym być czerwonym dywanem, gdy idzie po nim Daniela Ciencabras. Ritta von Vree – gdy myślę o Ciencabras, myślę „królowa kina". Ale chcę mówić: moja siostra, czarna kobieta.

Rafał Skorecki czytał te tytuły z rosnącym bólem głowy, starał się opanować w sobie wściekłość skierowaną przeciw dziennikarzom i krytykom, przeciwko wszystkim czarnym, przeciwko wszystkim kobietom, przeciwko Kiejstutowi Dowgirdowi przede wszystkim. Fałszywy, podstępny Żmudzin. Jego nazwisko, jako konsultanta montażu komputerowego, było jedynym europejskim nazwiskiem w napisach końcowych filmu *Celuję w ciebie, Meruka*. W przedziwnym filmie, lecącym na widza jak Niagara obrazów, gadającym tylko rytmem tam-tamów, Rafał rozpoznał z trudem, ale bez wątpliwości, najlepsze sceny z ataku wilkołaczyc na pociąg pancerny NKWD. Przecież to on przeziębił sobie pęcherz, gdy je kręcił, bo stał po pas w bagnie. Potem nie mogły wejść do filmu, nie współgrały przecież z wątkiem miłości didżeja do Laury Grozy. Teraz, użyte w negatywie, komputerowo przetworzone, spowolnione, multiplikowane, stanowiły jedną z mocniejszych scen filmu. Z dobrze wycelowanym antypostkolonialnym ostrzem.

Rzucił stos gazet na podłogę, napił się wody z kranu. Trzy dni po spotkaniu z Dowgirdem zostało mu pieniędzy na jedną whisky, musiał iść do baru Chez Tante Molly na Rue Barbour. Musiał podjąć ostatnią rozpaczliwą próbę namówienia kogokolwiek na obejrzenie *Zadzwoń, bo zwariuję!* Z ambasady, od attaché kulturalnego i z konsulatu dzwonili, że niestety, poważne wcześniejsze zobowiązania uniemożliwią. I oni wyrażają nadzieję oraz ubolewanie. Po wczorajszym dniu konkursowym wszyscy polscy krytycy i dziennikarze czołgają się teraz zapewne u kolan tej czarnej aferzystki. Czy tam artystki, niech ma. Jego czeka wstyd, projekcja przed pustą salą. Rozrzucił po łóżku swoje koszule i T-shirty. Cokolwiek włożył – będzie źle. Palant, który przegrywa.

*

Kołatiuka doprowadzono do prezydenta z izby zatrzymań w jednostce sił specjalnych. Był to najtajniejszy areszt w kraju, o tyle korzystny dla zatrzymanych, że o osadzeniu w nim nie wolno było nic pisać, mówić, nadawać. No i proszę – siedziało się bez śladu w aktach osobowych.

Prezydent tkwił na fotelu tyłem do gościa, wpatrzony w okno. Kołatiuka doprowadzili do stołu, rozkuli mu ręce, oddali okulary z depozytu. Sekretarz rzucił na blat przed nim zapieczętowaną tekę z napisem: „Tajne specjalnego znaczenia". Jakby rzucał kość podwórzowemu kundlowi.

– Ma pan przeczytać. Potem będzie rozmowa. Ja nie znam zawartości tej teczki.

Sekretarz wyszedł, cichutko zamykając za sobą drzwi.

Kołatiuk spojrzał na plecy prezydenta. Były nieprzychylne w jakiś chłodny, nieustępliwy sposób. Jak brama na Łubiance. Złamał pieczęcie, wyjął z teki plik wycinków dotyczących sytuacji na festiwalu w Cannes i pogrążył się w lekturze. Czasem zerkał na nieporuszone plecy Państwa Polskiego i czytał dalej.

– Przeczytałem – powiedział w końcu. Przełknął ślinę i powtórzył głośniej, bez chrypy: – Przeczytałem.

– Przeczytał pan, panie Kołatiuk. – Prezydent odwrócił się. – Rewelacja, umie pan czytać. A ja myślałem, że pan w ogóle nic nie umie! Powierzono panu unikatową akcję, nikt takiej szansy nie dostał. Co pan załatwił dla Polski? Nic. Załatwił pan korzystne zlecenie dla prywatnej firmy ochroniarskiej Tarcza i Miecz. To czyjś szwagier, prawda? Szef tej firmy to szwagier! A tu jest Polska, Kołatiuk, nie wasz Szwagierland! Załatwił pan nic, mniej niż nic dla Polski. Załatwił pan wielki narodowy wstyd, bo ta wasza Czarna Daniela za pieniądze polskiego podatnika... ona tam za nasze pieniądze jest, Kołatiuk! Odbieramy rencistom, wdowom po górnikach i hutnikach, żeby tam nas robiono w bambo przed całą Europą. Znasz pan wierszyk o Bambo?!

– To jest, jako rasistowski, zakazany wierszyk – wychrypiał Kołatiuk. – Niech pan nie płacze, panie prezydencie, bo ja też mam serce.

– Jeśli płaczę, to ze złości, że tortury są zabronione – wyrzucił z siebie dostojnik. – Jak pan teraz wyobraża sobie dalszą naszą współpracę?

– No, normalnie – odpowiedział Kołatiuk, który szybko odzyskiwał równowagę. – Działania niejawne to nie jest autocasco. Raz pod koniem, raz pod wozem. Nastawiamy fokus na daleki horyzont.

W tej chwili wpadł sekretarz.

– Panie prezydencie, miałem nie przeszkadzać, wiem, ale dzwonili od rzecznika rządu. Jest bezpośrednia transmisja z Cannes. Włączyć, prawda?

Nie czekając na przyzwolenie prezydenta, sekretarz rzucił się do pilota i kliknął. Ekran zamigotał, wrzasnął kolorami, zahuczał pomrukiem tłumów. Niespokojna, jakby ulegająca emocjom kamera pokazywała ciżbę światowych elit wybuchających żywiołową owacją na stojąco. Artyści, producenci, reżyserzy, komentatorzy, twarze z okładek, nazwiska z pierwszych stron. Klaskali, wrzeszczeli, przekrzykiwali się, popisywali objawami entuzjazmu. Rzucali w górę marynarki i kapelusze, podskakiwali, obejmowali się. A potem kamera pojechała naprzód, pokazała scenę pod ekranem, a na scenie spocony, skołowany, wytrzeszczony Rafał Skorecki raz po raz wypadał z objęć pięknej Mulatki w czerwonej sukni, raz po raz ginął w tych objęciach. Oboje deptali po skórzanej kurtce polskiego reżysera i po rosnącej stercie kwiatów. Wreszcie dotarła do nich hostessa z mikrofonami. Pierwsza przemówiła Daniela Ciencabras.

– Kocham was, niemyte świnie! – zawołała. – Cieszę się, że posłuchaliście mojej rady, daliście się obudzić o świcie i przyszliście na pierwszy prawdziwy film w waszym zafajdanym życiu. Patrzcie tu, głupole! Patrzcie, że płaczę ze szczęścia, bo mogę stać obok tego Polaka, którego próbowaliście skopać w sekcji informacyjnej. Jestem dumna, że tak stoimy razem. Jestem dumna, że nie spałam dziś w nocy, aby namawiać was, uwodzić, łazić po knajpach, spelunach i tancbudach, wyciągać was, szanta- żować, zwoływać. A jak już tu jesteście, to pamiętajcie, że macie wybór. Albo to będzie ostatni festiwal w Can- nes, albo *Zadzwoń, bo zwariuję!* znajdzie się w konkursie głównym. Ja z radością wycofam swój film, aby mu zro- bić miejsce, jeśli zakute łby waszych prawników nie wy- myślą innego rozwiązania. Sikam i pluję na wasze groby! Kocham was nieprzytomnie, robaczki! A teraz zaśpie- wajmy wszyscy dla Rafała Skoreckiego, dla czarodzieja z Warszawy: *We are the masters, we are the winners!*

Buchnął nierówny śpiew. Sala ryczała, a u dołu ekra- nu galopowały litery: *Ciencabras dla „Financial Times":* *Jeśli Skorecki nie dostanie Złotej Palmy, cała jury przy- zna się, że jest bandą pozbawionych gustu gówniarzy, a ja podetrę sobie pupę wrednym regulaminem festiwalu.*

Daniela Ciencabras dla CNN: Banda tchórzliwych sługusów wielkich korporacji wymyśliła sekcję informa- cyjną jako więzienie dla tak dumnych i prawdziwych fil- mów jak Zadzwoń bo zwariuję! *Hańbą będzie, jeśli nie połamiemy krat tego karceru dla myśli.*

Autorka Celuję w ciebie, Maruka *dla „Kommiersan- ta": Jeśli jury skrzywdzi Chopina filmu, tego czarodzieja z Warszawy, Rafa Skoreckiego, wezwę młodych z Afryki i Europy, aby razem wrzucili do morza całe Cannes z tym gangsterskim festiwalem. Wy, Rosjanie, macie najdalej, ruszajcie już w drogę!*

Dla „Figaro Littéraire": Elity Europy oślepły. A teraz, na ołtarzu poprawności politycznej i skuteczności komer- cyjnej, chcą zarżnąć ostatniego okulistę, który próbuje przywrócić Europie jasność widzenia. Odbiorę wam tego kozła ofiarnego w zemście za los kobiet Czarnego Lądu.

Daniela dla „Krytyki Politycznej": W porównaniu z płomieniem rewolucji, jaki rozpalił w swoim filmie chłopak z warszawskiej Woli, Rafał Skorecki, cała wasza lewicowość to grymasy lokaja, który najpierw wylizał szefowi lakierki, a potem za kotarą pluje mu w krupnik. Proście Rafała o korepetycje z ducha współczucia dla odrzuconych, uczcie się od niego prawdomówności, przenikliwości i młodzieńczego entuzjazmu.

Kołatiuk wpatrywał się w ekran prezydenckiego telewizora z twarzą bez wyrazu.

– To jako reklamówka nakręcone, panie prezydencie, czy w realu tak leci? – spytał.

Prezydent zamrugał powiekami, jakby budził się z hipnozy.

– Zadzwonię i sprawdzę – powiedział i położył rękę na słuchawce białego telefonu. – A swoją drogą, jest tak, jak czytałem kiedyś. Kły i pazury. Chcemy dobrze, a wychodzi… ciężar nowej odpowiedzialności. Jeśli jakaś czarna dziewczyna z Burkina Faso zechce nakręcić film o swoim biednym kraju, to po występach naszej Czarnej Danieli będzie miała teraz gorzej, trudniej.

– Na żołnierzu moknie, na żołnierzu schnie – odpowiedział Kołatiuk. – Ja wykonuję polecenia góry. Skazano, zdziełano, jak Ruscy mówili. I ruki pa szwam.

ROZDZIAŁ CZWARTY

The friendly fire

Wybuch urwał całą wschodnią krawędź jaru, tamci musieli chyba odpalić hurtem te dwieście ton materiałów wybuchowych, które zdobyli, gdy w końcu kwietnia konwój ciężarówek nie dojechał do bazy Wesoły Roger, tylko znikł po drodze. Teraz chmura dymu i kurzu opadała powoli, spływała, kłębiła się wokół jedynego suchego drzewa, które sterczało na dnie rozpadliny. Powiał wiatr, chemiczny gryzący smród już tak nie dusił, dało się oddychać. Pomroka rzedła, odsłaniając blady od żaru błękit nieba, a niżej warstwy żółtych, kremowych i beżowych skał – jakby ogromny kawał tortu ciachnięty nożem od góry do dołu. W końcu odsłoniły się czarne osmolone wraki dwu pojazdów bojowych ustrzelonych tu parę lat wcześniej. Droga 12-Q-12 była od zawsze uznawana za najbardziej diabelską we wschodnim Bachczystanie.

Generał Zakrupa, tłumiąc kaszel, czołgał się ostrożnie. W końcu dotarł do transportera rozszarpanego wybuchem na dwie części i z zadowoleniem stwierdził, że przednia, mieszcząca radiostację, jest mniej zrypana. Kryjąc się w cieniu i unikając szybkich ruchów, dopełzł do stanowiska kierowcy. Przesunął hebelek POWER z pozycji zero na jeden i zobaczył, jak jedna po drugiej zapalają się diody kontrolek. Generał zdjął hełm i założył słuchawki na uszy, a łagodny szum urządzenia zabrzmiał jak pieśń aniołów. Przywarł do ziemi – gdzieś niedaleko poszły serie z kałaszy rebeliantów, widział, jak z ostrzelanej wydmy wyskakują wybite kulami dymki. Nie było za dużo czasu, postrzelają jeszcze trochę i przyjdą zabierać swoje. Nie znał na pamięć hasła uruchamiającego łączność alarmową z bazą, a w pobliżu nie leżało nic, co przypominałoby żywego radiotelegrafistę. Pomacał kieszeń na piersiach, tam powinna być kartka z kodami i sygnałami. Sięgnął po nią, starając się ruszać jak najmniej. Wyciągnął kartkę i przeczytał: *Najpiękniejszą zaletą człowieka jest wierność. Dlatego też dobrzy klienci otrzymują karty, które świadczą o tym, że oni tę zaletę posiedli. Ale najlepszy klient nie potrzebuje żadnej karty, aby przez całe swe życie być wiernym swojemu supermarketowi! Insz Bazaar City Mall, Rue Ghandi, Dżamijabad.*

Generał przypomniał sobie całe swoje życie, przebieg służby, a także to, że kontrakt na misję na Strychu Świata kończy mu się za dwa miesiące. Nie musiał sobie przypominać chwili, w której brał zabawną ulotkę od uśmiechniętej skośnookiej hostessy na otwarciu nowego domu towarowego Insz Bazaar w centrum Dżamijabadu. Wziął wtedy ulotkę i schował do kieszeni paradnego munduru. Ten właśnie ancug miał teraz na sobie. Kartka z kodami alarmowymi była w kieszeni, ale munduru polowego, a jemu zachciało się wypaść elegancko na uroczystości w Czerkuszu, centrum religijnym wschodnich Gór Kebabczerskich. Włożył mundur wyjściowy, aby uczcić nowe mauzoleum miejscowego sadhu, który wedle lokalnych legend miał być w prostej linii potomkiem szwagra Proroka. A może zięcia czy teścia Proroka. I za tego teścia, za mundur polowy teraz utłuką. Polegnie dla kraju, śliczne tralala w nekrologach. Bo szansa, że wezmą go jako więźnia na wymianę, niewielka – ostatnio służby specjalne spaprały dwie czy trzy takie transakcje i turbaniarze zrobili się nieufni. Wzorowy dowódca, twardy dla siebie, ojcowski dla żołnierzy. Sam pisywał takie kawałki.

– Dobrze, że tu zastałem pana generała – usłyszał nagle głos.

Spoza zgliszcza tylnej części pojazdu wyczołgał się młody żołnierz. Miał nieprzepisowy czarny beret zamiast hełmu i naramienniki bezsensownie obszyte biało-czerwonym kordonkiem. Twarz pokryta kurzem i kopciem wyrażała strach. Obłędny strach. Strach obłędny, ale jakiś cywilny.

– Zapisałem się u dyżurnego kompanii, jak kazali, ale nie dostałem terminu rozmowy – poskarżył się młody żołnierz, któremu spod beretu wyłaziły zmierzwione kudły.

– Włącz radiostację, synu, bo za sekundę nas tu rozpirzą na maść – powiedział generał. – Rób, jak cię uczyli.

Żołnierz z wahaniem pokręcił gałkami.

– Mieliśmy inne radiostacje, tu chyba trzeba wklikać sześciocyfrowy kod dostępu…

– Zrób to szybko, synu – ponaglił go generał. Zdjął z głowy słuchawki radiostacji i dał żołnierzowi. – Nadaj do Maczugi, żeby się pośpieszył z si-efi. A potem do jan-kesów, że żądamy si-ej-esi na twelve-kju-twelve. *Close air support* od *airborne commando*. *Counter fire* z naszej strony jest czasowo niewykonalny.

— Czekaj pan, na razie nie ma dostępu — odezwał się umorusany szeregowy. Nieznośnie to było cywilne i dziwne. Ten luzacki ton. — Tak zrobię, zresetuję na fur-kocie — powiedział do siebie żołnierzyk w berecie.

Nie nałożył słuchawek, tylko lekceważąco rzucił je na piasek. Potem odwrócił się i leżąc na plecach, kopnął obunóż w panel kontrolny radiostacji, aż skruszył płytę czołową. Wszystkie diody zgasły. Generał zobaczył, że buty ten młodzik ma nieprzepisowe, spoza sortów. Ja-kieś żółte kamaszki. Żołnierz chwilę kaszlał po wysiłku, wypluwając pustynny kurz, później obrócił się znowu, garścią wywłókł kłąb kabelków spod rozwalonej radio-stacji, zaczął je szarpać jakby na oślep, ale z zaciekłą systematycznością. Następnie wyjął z kieszeni telefon komórkowy, podłączył go do pary drutów i chwilę klikał w przyciski. Coś tam mu odbzykiwało, kląskało, potem zaśpiewała melodyjka i ekranik rozjaśnił się niebieskawo.

— Ty, morducha, widzę cię — wrzasnął żołnierz. — Morducha, ale jest masakrycznie pilna sprawa. Idź zaraz do mojej matki, wal mocno w drzwi, bo jak się zame-dytuje, to nie słyszy. Jak się kąpie, to samo. Ale masz się do niej dostać, bo tu do mnie strzelają. Niech zaraz idzie do władz wojskowych, żeby mi załatwić powrót... Gdzie jestem? Dokładnie nie wiem, bo byłem po piwku i nie kumałem. Zaraz się dowiem. Panie generale, jak wytłumaczyć, gdzie jesteśmy?

Serie z broni maszynowej poszły dalej, widocznie napastnicy musieli zobaczyć jakiś ruch przy rozwalonych „borsukach" plutonu osłonowego. Generałowi zrobiło się wszystko jedno.

– Możesz powiedzieć kumplowi, że polegliśmy, wypełniając obowiązek sojuszniczy na drodze 12-Q-12, jakieś trzydzieści kilometrów od świętej słupy w Czerkuszu, we wschodnim Bachczystanie, na południowych stokach Gór Kebabczerskich.

– Zaraz, nie tak szybko! Nie idzie tego zapamiętać. Pan sam powie!

Generał nachylił się nad telefonem żołnierza i powtórzył parametry lokalizacji, wpatrując się w twarz rozmówcy na ekranie – bezmyślnie pogodną twarz ostrzyżonego na łyso małolata ze srebrnym ćwiekiem w brwi i kółkiem w nosie. Chciał skończyć soczystym przekleństwem, ale słowa uwięzły mu w gardle, bo ten na ekranie poruszył się i można było zobaczyć, że ma małe, ale zdecydowanie damskie piersi, bez najmniejszej dawki jakiegokolwiek odzieżowego nakrycia. A więc ta, a nie ten, coś w tym rodzaju.

– Idź do matki, niech mnie stąd wyciągnie! – Żołnierz wyjął generałowi telefon z ręki i kontynuował rozmowę. – Niech się powoła na ciotkę Polę, co miała dziecko z moim ojczymem, tym drugim, a teraz jest z jakimś wiceministrem! Kończę, bo tu kolejka do telefonu. Pa, morducha, mam pomysły, co zrobimy, jak się spotkamy. No, z kim pana połączyć, panie generale?

– Nadaj do Maczugi.

– A jaki do niej numer? – zapytał żołnierz i skulił się

pod osłoną pokrywy silnika, bo napastnicy przypomnieli sobie, że można jeszcze huknąć z granatnika. Odłamki padały całkiem blisko.

Generał uprzytomnił sobie, że numery połączeń, kody i szyfry to zawsze była domena podoficerów plutonu łączności. On sam nigdy nie łączył się z nikim, nigdzie nie dzwonił, kazał się połączyć i kropka. A potem przypomniał sobie, że na wewnętrznej stronie futerału pistoletu namazał kiedyś długopisem numer komórki księdza kapelana, majora Władka Dopucha.

– Łącz z tym – rozkazał żołnierzowi i otworzył kaburę.

– A mogę potrzymać spluwę? Takiego gana nie widziałem…

W oczach dziwnego żołnierza był autentyczny podziw. Poczuł jednak, że generał śpieszy się naprawdę. Udało się wywołać kapelana z zakrystii kaplicy obozowej. Generał właśnie kończył tłumaczyć księdzu Władeczkowi, jak skoordynować *counter fire* własnej artylerii z interwencją jankeskich helikopterów szturmowych z bazy Black Hawk, gdy po piasku zaskrzypiały kroki i nad kryjącymi się we wraku stanęli uzbrojeni brodaci mężczyźni w zawojach i szatach.

– Polecenia anulowane – zdążył krzyknąć generał do telefończyka, nim padł na niego cień.

Ktoś stanął między nim a słońcem. To na krok przed pozostałych wysunął się watażka, niespełna dwudziestoletni. Był wysoki i szczupły, a na jego młodzieńczej twarzy o szlachetnych, subtelnych rysach, malowała się jakaś tajemnicza melancholia. Rzadki zarost zaledwie ocieniał smagłe policzki. Szafirowy strój wyszywany był złotą nicią, a przy pasie ozdobionym topazami i rubinami widział tylko kindżał w srebrnej pochwie.

– Chciałem najmocniej przeprosić pana generała – powiedział młody nienaganną oksfordzką angielszczyzną. – To pomyłka mojego wywiadu. Ja też jadę do Czerkuszu, oddać hołd świętej stupie. Sadhu Isphael był moim przodkiem. Niech pan wstanie, generale, doprawdy, przykra historia, na szczęście mundur nie ucierpiał.

Młodzieniec troskliwie pomógł Zakrupie wstać, strzepnął piach z jego rękawa, a żołnierzyk z telefonem zerwał się sam, jak sprężyna. Generał poczuł, że jest mu strasznie wstyd za żółte kamasze turystyczne tego jełopa. I jeszcze beret! Wobec tych dzikich, co prezentowali się godnie i okazale.

– Zaatakowaliśmy pomyłkowo pański konwój, bo był meldunek, że przez 12-Q-12 jedzie karawana szejka Alego Saadi-Musthara – wyjaśniał dalej młody w złocistym pasie. – Poinformowano nas, że ludzie Saadi-Musthara wiozą duży ładunek brązowej smółki. No i pechowe niedopatrzenie, najmocniej przepraszam. Chciałem rozdeptać tego gada, bo Ali od paru lat psuje tu handel. Przynosi hańbę całej branży. To, co on sprzedaje jako koncentrat, to sklejone jakimś podejrzanym równem paprochy i śmieci. Zaniża ceny, kompromituje znaki jakości. Tego nie możemy tolerować, sam pan przyzna. Pokój i cywilizacja to wolny handel.

Generał z wahaniem pokiwał głową.

– Chodzi o wolny handel, jasne.

– Zapraszam do moich aut – powiedział młody

człowiek. – Widzę, że pańskie pojazdy będą trudne do uruchomienia.

General ogarnął spojrzeniem wraki i trupy. Znowu pokiwał głową.

– Po uroczystościach wokół świętej stupy odwiozę pana generała do bazy Wesoły Roger – dodał młodzieniec. – Od dawna chciałem poznać siostrę Perfektę. Mój stryj, Harszid Ben Ali, ciągle jeszcze myśli, że ją poślubi. Ale moim zdaniem jest dla niej za stary.

– Tu bym się nie zgodził – powiedział oschle generał. – Wiele młodych pań wysoko ceni opiekę, jaką im zapewnia związek z dojrzałym mężczyzną.

– Gadanie – wtrącił się żołnierz w bereciku. – Jak jest kasa, może być zgred. Ale w kwestii bara-bara…

Nie mógł przy dzikich strzelić w mordę swojego żołnierza. Syknął tylko: „Milczeć! I w tył zwrot. Jeszcze słowo, a zostaniesz tutaj".

Ten w berecie zamilkł, ale skwitował rozmowę bezczelnym małpiarskim grymasem. Na miękkich nogach, ślizgając się po piaszczystym usypisku, poszli za młodym watażką pod górę, w stronę rzędu rolls-royce'ów stojących na gruntowej drodze. Tędy omijano cmentarzysko pancernych wraków na 12-Q-12. Za nimi szła uzbrojona świta dbającego o wolny handel książątka. General przypomniał sobie, że spotkany u księdza Władeczka Harszid Ben Ali mówił z dumą o swoim bratanku, zdolnym negocjatorze, cenionym przez światowe organizacje finansowe i handlowe. Podobno opinie Zuchara Ben Alego miały nieraz większą wagę niż oficjalne dokumenty agencji ratingowych. Gdy ten młodzik gniewnie zmarszczył brwi, na rynkach Azji padały wielkie firmy, jego uśmiech podnosił o setki procent szanse kredytowe, ratował bankrutów, pompował indeks Nikkei na tokijskiej giełdzie.

*

W upale czarny dach parzył, smoła stawała się lepka, a intensywny smród powodował łzawienie oczu i ataki duszącego kaszlu. Siostra Perfekta i trzy śniade nowicjuszki z lokalnej społeczności przemierzały na kolanach dach nowego magazynu, wbijając gwoździe w rozwijaną z rolek papę. Wszystkie cztery były ubrane w zielone robocze kombinezony, włosy miały zawiązane chustami, a klęczały na workach po cemencie wypełnionych wiórami. Akcją kierowała siostra Miranda, szafarka i ekonomka domu zakonnego – pilnowała, aby gwoździ nie bić za gęsto. Co pewien czas wspinała się na drabinę i wynurzała spoza krawędzi dachu, przynosząc pudła gwoździ, podkładek i – dużo rzadziej – butelki z sokiem grejpfrutowym. To żelazny upór siostry sprawił, że zrezygnowano z amerykańskiej propozycji wzniesienia stalowej konstrukcji nakrytej blachą falistą. W poufnej rozmowie z Perfektą Miranda wyjawiła, że wcale nie chodziło o to, aby czuć się dobrze i mieć takusieńki magazyn jak w domu macierzystym zgromadzenia w Kostomłocie Kujawskim. Sprawa polegała na tym, że stawka ubezpieczeniowa za drewniany, kryty papą budynek była sześciokrotnie wyższa, bo paliłby się jak słoma. Płacąc wysoką stawkę, trafiało się do grupy uprzywilejowanych klientów ubezpieczyciela i można było korzystać z bonusów pozostających w gestii Rady Prezesów. Uzyskiwało się wtedy dopływ darów o wartości wielokrotnie przekraczającej wniesioną składkę. Chleb dla głodnych, lekarstwa do szpitalika.

A więc kolejny rządek gwoździ tkwiących równo w podkładkach. Jeszcze godzina. Perfekcie zasychało w ustach, przed oczami kołowały tęczowe plamy. Polka nie może pokazać, że jest mniej twarda niż miejscowe dziewuchy. Głowa poboli i przestanie. Perfekta doszła z robotą do krawędzi dachu. Można złapać wiatr w płuca. Stąd widać było dobrze plac apelowy i podjazd pod budynek komendantury bazy Wesoły Roger. Właśnie pod główne wejście podjechał konwój – dwa transportery pancerne, zwane „borsukami", a między nimi błękitna limuzyna. Takiej nie miał tu nawet prezydent. Żołnierze plutonu ochrony z „borsuków" otoczyli wejście, z bronią gotową do strzału, a szofer błękitnego auta, ubrany w płaską czapę górskiego rozbójnika, otworzył drzwi swojego pojazdu. Wysiadł jakiś młody miejscowy szejk, kolorowy jak papuga, za nim, kulejąc trochę, wygramolił się generał Zakrupa, a ostatni, za generałem – żołnierz bez broni, w opadających spodniach moro, w czarnym berecie. Takie nosili francuscy pancerniacy, póki ich ze Strychu Świata nie wycofano. Ten nie szedł, ale lazł przygarbiony, z rozstawionymi na boki łokciami. Perfekta poznała go w mgnienie – już wiedziała, kto to. Zobaczyła, że Zakrupa daje znak i dwaj żandarmi w białych hełmach, z białymi pałami u białych pasów, biorą tego w bereciku między siebie i mimo jego oporu wloką go w kierunku aresztu. Nędzna żaba między dwoma wilczurami.

– Zaraz wracam – rzuciła Perfekta najbliższej nowicjuszce, odłożyła młotek i ruszyła ku drabinie. Biegiem okrążyła lśniącą świeżym drewnem i pachnącą żywicznie konstrukcję magazynu i podążyła w stronę generała. Po drodze zerwała z głowy chustę i wywijając nią, zaczęła wołać: – Panie generale, chwila, moment. Coś tylko powiem, ale chwila!

– Zdaje się, że chciał pan poznać siostrę Perfektę – zwrócił się Zakrupa do szejka Zuchara. – Mam nadzieję, że nie będzie pan przeklinał tego dnia.

Perfekta zbliżyła się do nich, dopinając za wielki o dwa rozmiary kombinezon i znów przewiązując włosy chustą. Była zadyszana, oczy błyszczały jej od oparów smołowych i furii.

– Tylko niech pan generał nic nie mówi o drodze służbowej – zaczęła. – Kto to jest ten dupek? Skąd się wziął?

– To jest, proszę siostry, szejk Zuchar Ben Ali – odrzekł Zakrupa. – Szef Asia Trade Group i doradca Banku Światowego do spraw rejonu Pacyfiku. Bratanek komendanta Harszida.

Młodzieniec w stroju orientalnym domyślił się, że o nim mowa, przytknął palce do czoła, do ust, do serca, złożył dłonie, a potem podał zakonnicy wizytówkę.

– *Hello, you'll welcome.* – Perfekta na moment zatrzymała na nim spojrzenie szafirowych oczu, machinalnie upychając niesforne złote loki pod chustę. – Nie o tego mi chodzi – rzuciła, wsuwając wizytówkę do kieszeni kombinezonu. – Ten, co go zabierają.

– Proszę siostry, to przypadek infiltracji, prokuratura się zajmie. Zna go siostra? To trzeba będzie złożyć zeznania.

– Bo taka jest droga służbowa, co? – zapytała siostra. – Jasne że znam, chodziliśmy ze sobą nawet. Ale panie generale, jak człowiek człowiekowi... Skąd...?

Perfekta zrobiła krok w stronę generała, wchodząc w dystans niemieszczący się w procedurach drogi służbowej.

– Coś opowiadał, że był w parawojskowych grupach rekonstrukcyjno-imitacyjnych – powiedział generał półgłosem i otoczył Perfektę ramieniem. – Niby harcerze, niby przebierańce, takie to – tłumaczył, odchodząc z nią na bok, dalej od szejka i jego auta. – Przyjechali do jednostki w Kluczborku na dzień otwarty. Mówił, że chcieli choćby dotknąć nowoczesnego uzbrojenia, że dość mają rogatywek, owijaczy i jednostrzałowych mannlicherów z pierwszej światowej. A jak raz z Kluczborka wyjeżdżali nasi na uzupełnienie kolejnej zmiany, desant, łączność, różni, między innymi pluton sanitarny. No, tam niestety jest dostęp do spirytusu. Pijaństwo w wojsku to niedopuszczalna sprawa, jak to się mówi. – Generał westchnął, mocniej przysunął się do Perfekty, tak że ona musiała energicznie skorygować dystans. – Maczuga faktów wobec pajęczych nici teorii – ciągnął dalej. – Piją, jednym słowem. Ten wyjazd kontyngentu z Kluczborka był trochę chaotyczny w praktyce. Za duża uroczystość pożegnalna, jeszcze ci przebierańce się wdali ze swoimi sanitariuszkami. Potem pośpiech. Ktoś się zapodział, stan musiał się zgadzać liczbowo. Tak przypuszczam, a ja mam lata doświadczeń w tej kwestii...

– Rozumiem – szepnęła poufale Perfekta. – Jak ja

pana rozumiem! Sanitariuszki, łączniczki. Spirytus medyczny.

– Więc jak przypuszczam, wzięli na pokład Herkulesa tego, który leżał najbliżej – podjął generał równie intymnym tonem. – A potem, siostra wie, żelazna machina wojny. Na żołnierzu moknie, na żołnierzu schnie, jak strzelają, nie ma czasu sprawdzać papierów. Tak się tu ten nabytek turlał z akcji na akcję przez kilka dni. Dziś trafiliśmy pod ostrzał sprzymierzeńca, nazywamy to *friendly fire*. Miałem szczęście i jego przy okazji wyciągnąłem. Ale teraz są procedury. Kontrwywiad to armia w armii.

– Jak czaszka w czaszce – wtrąciła Perfekta.

– Nie rozumiem.

– Nieważne, panie generale. Ja wiem, ma pan kontrwywiad na głowie. Ja się nie chcę wstawiać za tym ziomalem, bo to… no, bez brzydkich słów trudno określić. Ale ze względu na jego matkę. Ona ma to cudo prawie dwadzieścia lat u siebie. Samotnie wychowuje. Żal, znam ją, nerwowa kobieta, jogę ćwiczy. Przecież ona teraz rozpacza. Niech pan się nie martwi procedurami, niech pan da temu Szymonowi kopa tam gdzie trzeba, i do kraju. Niech go mamuśka odzyska. Pomodlimy się z siostrzyczkami, żeby się kontrwywiad za bardzo nie przytego… No, rozumiemy się. Ja bardzo proszę. Ja już muszę na dach, bo obiecaliśmy siostrze Mirandzie, że skończymy przybijanie przed kompletą.

Odeszła raźnym krokiem, a generał długo patrzył za nią. Nie on sam – odchodzącą ścigały także smutne sarnie oczy młodego szejka. Czy trzeba dodawać, że również

105

ogorzałe wiarusy z plutonu ochrony nie spuszczały z niej oczu, zaniedbując regulaminowy obowiązek obserwacji stałej i dookolnej?

*

Glorenda szmyrgnęła kozaki w kąt przedpokoju, rzuciła na kuchenny stół siatki z zakupami, w pokoju wyzwoliła się z płaszcza. Poleciał na łóżko i jak śmiertelnie znużone zwierzę osunął się z niego na dywan.

Jedną ręką nastawiła czajnik elektryczny, drugą od-paliła notebook i uruchomiła program szyfrujący „pia-skownica". Łyżka stołowa kawy do kubka. Wrzątek. Słuchawki. Głos córki, nareszcie!

„Napatoczył mi się tu kolejny męski kłopot, a do tego wyszły niespodziewanie z mroku upiory przeszłości. Ale po kolei, czyli odwrotnie, bo upiory trzeba popędzić. Pamiętasz oczywiście, mamo, tę katastrofę budowlaną na ulicy Gontyna. My tam wrócimy, zobaczysz. No, ale katastrofa. Mój były, Szymon, odegrał tam dość haniebną rolę. Wygłup mundurowy to była jego ostatnia mania. No i przez to, i przez nadmiar piwka, pomyłkowo trafił tu na front. Spodziewałaś się? Ja w życiu… Niby tu już cichnie wszystko, cywilizuje się, ale to jest kraj, gdzie broń maszynowa stała się częścią stroju ludowego. Więc strzelają. Tam, gdzie trafił Szymon, poległa kupa wiary. Sympatyczne chłopaki wracają do kraju w bla-szankach, a tego drania los oszczędził. Zaniosłam mu do aresztu kompot mieszany i krakersy, bo oczywiście skonfliktował się z generałem. Musi tak, to kompleks ojca. Siedzi, na spacer chodzi w kajdankach i czarnym kapturze ciągniętym na oczy. Ale mam obiecane, że go

106

wyrzucą do Polski, zadzwoń do jego matki, żeby się nie martwiła".

Glorenda zatrzymała nagranie, wypiła łyk kawy, poszła do torebki po ołówek, zapisała numer do matki Szymona. Mimochodem uchwyciła wzrokiem swoje odbicie w lustrze. Malinowy sweterek z niemodną plastikową broszką, mysioszara plisowana spódniczka, za mocno opięta na biodrach, nieumyte włosy, buzia bez makijażu. Co się z tobą dzieje, Glorenda? Czy nie ukrywasz się już sama przed sobą? Był własny dom na ulicy Gontyna, na krakowskim Salwatorze. Chodziłaś do Nowej Prowincji na Bracką i zamawiałaś jednym hasłem – „to co zawsze, kochanie". Masz teraz wynajęte dwa pokoiki na rogu Blaszanej i Mydlanej, chleb z margaryną na obiad, rozmowy na schodach z sąsiadkami – kasjerką z marketu i pielęgniarką – potem drzemka przed wyblakłymi ruchomymi obrazkami telewizora. Czy można uciec gdzieś dalej, czy można tak mocno umrzeć, aby już nie marzyć o niczym? Pomyślała, że tam w głębi lustra musiały być kolejne pomroczne szkła, ciemne zwierciadła, mama, babcia. Kobiety z rodu Podbipiętów herbu Kitawras, sól ziemi grodzieńskiej. Każda z nich przechodziła przez te drzwi, za którymi liczyły się już tylko córki, synowie, a własna uroda zmierzchała jak wrześniowy dzień. Ot, słońce nisko, na brzózkach pierwsze żółte listki.

Piła kawę, aż poczuła fusy na górnej wardze. Wytarła usta papierową serwetką i słuchała dalej głosu swojej córki, która zapuszczała się coraz dalej w krainy ryzykownej gry.

„Nie wiem, jak bym wyszła na swoje, gdyby mnie tu

siostry nie trzymały – mówiła Blandi. – Matka Plusquamperfekta i matka Misteria burczą, strofują, ale rozumieją,
że idę własną ścieżką. Siostra Miranda też, chociaż daje
w kość robotą. Mam wrażenie, że ksiądz Władeczek to
równiacha, że można by z nim o wszystkim, ale dzień,
noc zapracowany. Z najważniejszymi sprawami jestem
sama. A te ważne sprawy to teraz dwaj bruneci i rów-
nowaga finansowa. Sydney, Pekin, Kuala Lumpur, Bom-
baj. Mnie się zdaje, że trzymam w ręku nici. Na razie
inwestorzy zachowują się racjonalnie. Widmo paniki stoi
w drzwiach, wiem. Traderzy uwielbiają zarabiać na nie-
istniejącej równowadze. A tu, na Strychu Świata, może
przewrócić się coś, co wywoła efekt domina. Pam, pam,
pam, rozumiesz, mamo? Bo jeśli ten młody brunet, Zuchar Ben Ali zwróci się przeciw swemu stryjowi, Harszidowi, to tu przez sto lat nie będzie pokoju, tylko rano
będą trupy za płotem, a wieczorami pożary na horyzon-
cie. A oni, przystojniaki, gotowi są przeze mnie rzucić
się sobie do gardła. Niby już z islamem bez przesady, ale
do chrześcijańskiej kultury dialogu daleko. Jaki tu dia-
log, jak amunicję na bazarach kupujesz łatwiej niż fasolę.
Worki tego stoją, a nad nimi te giwery wiszą girlandami.
Chińskie, ruskie, amerykańskie, do wyboru, do koloru.

Na szczęście habit mnie jakoś chroni przed tą sytuacją
romansu z dwoma brunetami. Podtrzymuję małżeństwo
Harszida, bywam jako higienistka i przyjaciółka domu
u jego żony Leili, polubiłabyś ją, ma w rękawie wszystkie plotki Dżamijabadu, a nawija o nich z fantastycznym
wdziękiem. Przez naszą subekonomkę, siostrę Dolores, nawiązałam kontakt z bratankiem, Zucharem – to

napalony brunecik numer dwa. Oczy jak tunele rozko-
szy. To niestety diler hurtownik, mafioso, taka swołocz,
że prawdziwa mafia to przy nim pluszaki przytulanki. On
zresztą mówi, że tu w Azji nie można załatwiać spraw
po europejsku, czasem szept kindżału jest głośniejszy niż
słowa Kodeksu Napoleona. A oficjalnie i chyba szczerze
jest wielkim zwolennikiem pokoju, dialogu i wolnego
handlu, bo dzięki temu ze swoim tanim towarem wy-
pchnie z europejskiego i amerykańskiego rynku towar
kolumbijski, sprzedawany po wyśrubowanych cenach.
Na rynkach w Azji już gospodarzy, jak chce. Co do kana-
łów przerzutowych do Rosji, sam mi mówił: „otwierają
się dzięki energii moich zacnych przyjaciół". Zdaje się,
że polega to głównie na podrzynaniu gardeł konkurencji
na przełęczach w Tadżykistanie i Kazachstanie. No więc,
ten Zuchar Ben Ali, gagatek, ale ślicznota, jest bystry,
wykształcony, z kontaktami i nadmiarem gotówki. To
ciacho musi inwestować. I oto powód, dla którego wi-
duję się z nim, jako pomoc komputerowa naszej siostry
Dolores. Bo gdzie popłynie jego kasa, tam popłynie wiele miliardów, które strefa Południowego Pacyfiku chce
wycofać z Europy i Ameryki. Jesteśmy zakonem żebra-
czym, musimy więc wiedzieć, kto się wzbogaci, kogo
prosić o jałmużnę. Teraz bogactwa popłyną do nowych
gestorów. A to myśmy tę całą kabałę rozpętały, mamuśku, my dwie…".
    Glorenda zalała wrzątkiem resztę fusów. Lura.
    „…przez te twoje lekcje taktyki finansów, przez
moje komputerowe odrabianie zadań. No, pilna byłam, jołop haker się włamał, zdawało się mu, że nasze

109

cyferki-zabawki odnoszą się do jakiegoś realu, sprzedał nas cwaniakom od ratingu z firmy Spencer, Engels and Poor. Oni mnie szantażują, że wiedzą! Oni wiedzą! A gdybyż wiedzieli chociaż to, że nie jestem konsorcjum banków, tylko służką zakonną. Gdybyż wiedzieli, że to, co wiedzą, jest mniej niż zero. Jest pomyłką globalną… Ale mamo, nie spowiadam się z tego, bo to wszystko wirtualne. A nie odpuszczę, bo świetna gra, trochę serce cieszy, tylu ważniaków mogę ruszyć jednym kliknięciem! I co jeszcze? I do tego jest pretekst, aby legalnie widywać się z tym brunetem o sarnich oczętach, z Zucharem, gadamy sobie. Sporo mamy czasu, bo wiekowa siostra Dolores niezupełnie ufa liczącym możliwościom komputerów i rachunki zakonne sprawdza po staremu taką maszynką z korbką, wożę za nią tego „kręciołka" w plecaku. Więc gadamy sobie z Zucharem o ocenie ryzyka w przejęciach bankowych i o życiu w ogóle. I jeszcze jedna wiadomość. Nic mi się nie przywidziało – ta manikiurzystka, która nie zginęła pod gruzami naszej willi na Gontyna, to ta sama reżyserka z Cannes, popularna czadowo Daniela Ciencabras. Mignęło mi w internecie, że ruga wszystkich grubym słowem, zrywa konferencje prasowe, a mimo to mają jej dać Złotą Palmę. Ona pewnie jakąś prowokację do filmu robiła wtedy, jak mi przyszła tipsy kreować, w branży filmowej to chyba nazywają moekumentaryzacja. Ledwie uszła z życiem, ale mnie uratowała. Czy ją kiedy spotkam?

I jeszcze jeśli chodzi o konkretne inwestycje, sporo wyciągnęłam z tego Zuchara, zapisz sobie…".

Glorenda usłyszała kroki na schodach, gmeranie

kluczem w zamku. Pomyślała sobie, że stara Mrocznicka, właścicielka mieszkania, przyszła coś zabrać z pawlacza, były tam jakieś jej szmaty-graty. Na wszelki wypadek wyłączyła notebook szyfrujący, wsunęła go w krytą kieszeń pokrowca na ten laptop normalny czy legalny, jak go zwać... Wyjrzała do korytarzyka i zobaczyła, że przez drzwi wjeżdżają dwie błękitne walizy, eleganckie raczej. Przemknęło jej przez myśl, że wrócił z saksów syn Mrocznickiej, że mu nie poszło w Londynie.

Facecik w skórzanej kurtce, szczupaczek, potargany. Gęba pospolita, ale zmęczone, podkrążone oczy spoglądały jakoś po ludzku.

– Nie jest sprzątnięte – zauważył, gdy się rozejrzał. – Pani tu sprząta?

– Zdarza się – odparła Glorenda. – Pan Janek Mrocznicki, prawda? Pan tu co robi?

– Mieszkam – odpowiedział. – Będę mieszkał. Wynająłem od pani... – Tu sięgnął po jakiś papierek. – Od Mrocznickiej.

– No to niech pan się zabiera. Na rozstajne drogi. Ja zapłaciłam tej babie za rok z góry.

– I nie dostała pani pokwitowania – dodał przybysz. – Ja też nie. Okazja, prawda?

Oparł się o wieszak w korytarzyku, w niesłychanie niewygodnej pozycji, i zaczął wulgarnie przeklinać. Półgłosem, ochryple, bez pasji. Potem wszedł, podniósł z podłogi płaszcz Glorendy, położył go na łóżku, popatrzył dokoła. Usiadł obok płaszcza, ukrył twarz w dłoniach i rozpłakał się. Ze smarkaniem, niestety.

– Zrobię panu herbaty – powiedziała Glorenda.

Wysiąkał nos, otarł chusteczką twarz i oczy. Włożył ciemne okulary i przedstawił się.

– Rafał Skorecki. To ja nakręciłem film *Zadzwoń, bo zwariuję!* To ja zdradziłem Polskę. Byłem dziś u prezydenta.

– Słodzi pan? Z mlekiem? Bo cytryny nie ma. Będzie pan siedział w tej kurtce?

– Nie słodzę. Nie będę siedział. Ale do śmierci będę spłacał ten film. Prezydent powiedział, że nie uniosę tej moralnej ohydy. I naród nie wybaczy.

Postawiła przed nim taboret, na taborecie herbatę i mleko w kartonie. Wtedy zsunął z ramion kurtkę i zaczął tłumaczyć, dlaczego nie przyjął Złotej Palmy w Cannes, w takim momencie, gdy narodowi potrzebny jest sukces, a nie awantury wirtualnego motłochu. Powiedział też, że nie wierzy w pełzającą kontrrewolucję hedonistycznego matriarchatu, ale gdyby chcieć przykładu, to fałszywa agentka firmy Tarcza i Miecz, Czarna Daniela, może być przykładem jak na talerzu. Ona zresztą też zdradziła Burkina Faso i nie przyjęła jako Daniela Ciencabras Złotej Palmy za *Celuję w ciebie, Meruka.* A gdyby do drzwi zapukał ten mściwy Żmudzin, Kiejstut Dowgird, nie otwierać. Dzwoni, nie odbierać.

– A jajecznica z pomidorami i grzanki?

– Nie, tu za ulicą Samarytanka jest taki śmierdzący kanałek. Pójdę się utopię.

– Średnio ścięte jajka czy mocniej?

– Boże, tak, średnio – jęknął reżyser. – Nie, oczywiście, że mocniej. Na szczęście francuscy komandosi zdążyli zabrać jurorów do helikoptera. Tam, w Cannes. Ale i tak były straty. Te pokojowe demonstracje już nie udają się bez butelek z benzyną. Pani tu sprząta?

– Raz czy dwa razy zamiotłam. Nie mam serca do tego – wyznała Glorenda. – Widziałam w telewizorku te zamieszki. Takie śmieszne maski…

– Prezydent powiedział, że poniósł osobiste ofiary, aby dać narodowi sukces. A ja wdeptałem wszystko w błoto. I śmiem patrzeć w oczy.

– Dosoli sobie pan do smaku. A jak chleba będzie mało, to się dokroi. To takie ludowe powiedzenie z Wałbrzyskiego.

Rzucił się na jedzenie jak wilk. Po połowie patelni popatrzył bystrze na Glorendę. Ze swoimi nieumytymi włosami poczuła się jak towarzysko oskalpowana.

– Przedstawiłem się pani – przypomniał. – Rafał Skorecki.

– A ja prowadziłam kiedyś w Krakowie firmę Obiady Domowe dla Singlującej Kadry Kierowniczej. Moje nazwisko panu nic nie powie. Maria Kowalska. Teraz jestem na wirażu. Był pan kiedy na Grodzieńszczyźnie? Wie pan, gdzie Surkonty? Ja też tam nigdy nie byłam.

– Mówiła pani o Wałbrzyskiem.

– Nie słucha pan. To tylko takie przysłowie z Wałbrzyskiego. Będzie mało chleba, to się dokroi. Ludowe.

– No to niech pani dokroi. Proszę. Proszę, pani Marysiu.

Dokroiła, patrzyła, jak jadł. Zamykały się mu oczy.

Walcząc z sennością, znów zaczął mówić o nagrodzie, której nie przyjął. Jego film był zły, film Czarnej Danieli jeszcze gorszy. Jedno komercja, drugie bełkot. Jakaś

Bułgarka zrobiła piękny film o mnichach ortodoksach, dzikich koniach i zakochanej w węglarzu niemowie, ale nikt tego nie zauważył. Mają oczy, a nie widzą – powtarzał Skorecki. W uniesieniu rozlał resztę herbaty na kapę łóżka, i tak była do prania.

– Ja wiedziałem, że naród czeka na sukces, ale pani Marysiu, ten naród jest wart innego sukcesu niż *Zadzwoń, bo zwariuję!* A afrykański naród Burkina Faso zasługuje na lepszych artystów niż ci aferzyści, Czarna Daniela i Kiejstut Dowgird.

I dalej w kółko o jurorach, kryteriach i ukrytym prawosławnym pięknie gór bułgarskich. Jakby nie było lasów Grodzieńszczyzny. I o tym, że na każdym kroku los zdejmuje przed nim klapę z szamba.

– Biorę mniejszy pokój – przerwała mu w końcu Glorenda. – Dostaje pan duży, ale gorszy. Misztalowie się kłócą. A ich córeczka, jak głodna, wali pustym kubkiem w ścianę. Czasem jest cicho, to pan wtedy pośpi. Tu jest wielka płyta. A kto mieszka w wielkiej płycie? Budżetówka i margines. No i my. Teraz do łazienki. I wytrzeć podłogę po sobie. Klapę kibla podnosić, a potem opuszczać, bo zabiję, wie pan, o co chodzi? To nie metafora, ma być sucho i czysto.

*

Siostra Perfekta skończyła lekcje w liceum i już miała siadać na rower, kiedy stwierdziła, że ukradli. Cywilizowało się wszystko. Przedarła się przez ruchliwą ulicę Posoborową, pełną nowiutkich aut terenowych pędzących bez żadnych reguł. Niektóre miały już numery rejestracyjne. Wybrała jedną z riksz stojących przed Pierogarnią

Wadowicką i nacisnęła gumową gruszkę przy trąbce sygnałowej. Z pierogarni wyszedł rudy brodacz w podkoszulku z napisem UCLA i postrzępionych dżinsach. Ci z Kalifornii byli tu pierwsi i jako tako znali już miasto. Studenci z Bostonu, Filadelfii i Nowego Jorku brali taniej za kurs, ale błądzili. Raz, że przeważnie naćpani, dwa, że dopiero się zjeżdżali.

– Nie dostaniesz na działkę – powiedziała do brodacza. – Zawieziesz mnie do bazy Wesoły Roger, dam ci tenisówki i skarpetki. Umyjesz nogi i przy mnie włożysz, zrozumiano?

Brodacz w zadumie spojrzał na swoje bose, brudne i poranione stopy, potem kiwnął głową. Pojechali. Był pewnie z jakiejś sportowej ekipy uniwersyteckiej, bo biegł równo, długimi krokami. Patrzyła na Dżamijabad, teraz to było jej miasto. Może na zawsze. Zmieniało się. Przy pierogarni Pod Smokiem Wawelskim skręcili w aleję Poległych Sprzymierzonych, która prowadziła obok bazaru Chanochaczajskiego, ostatniego, który się ostał pod naporem deweloperskich zakusów. Tłumnie tu było jak zawsze, ale coraz mniej regionalnego rękodzieła, coraz więcej tajwańskiej, chińskiej, indonezyjskiej tandety. W tłumie jak zawsze chałaty, dżellaby, turbany, tiubietiejki, papachy karakułowe, ale także coraz więcej słomkowych kapeluszy, farbowanych na pełną gamę barw fryzur, podkoszulków z napisami we wszystkich alfabetach świata. Tu i ówdzie patrole uzbrojonych po zęby żołnierzy w goglach, kamizelach kuloodpornych, przyłbicach, ale często patrole mieszane, nawet z udziałem miejscowych policjantek w zgrabnych kepi, w króciuchnych mini, białych botkach. Wiele pań jeszcze w zakrywających wszystko burkach, ale tu już nastolatka w plisowanej spódniczce prowadzi dwie swoje siostry w strojach do pierwszej komunii. Dalej na Promenadzie Zwycięskiego Odwrotu, przed sklepem firmy Swarovski, dwie damy smukłe i szykowne jak z paryskiego bulwaru, obładowane torbami z modnych magazynów – jedna w siwym afro, druga z wygolonym, tatuowanym łebkiem. Naprzeciwko meczetu szyitów buduje się kościół. Na domach wieżowców i lepianek wyrosły jak grzyby po deszczu anteny satelitarne i billboardy.

Kazała rudemu zaczekać przy biurze przepustek, spytała go o rozmiar stopy i poszła po tenisówki do podręcznego magazynu darów. Był sympatycznym Amerykaninem pociągowym, więc wyszukała mu prawdziwe polskie trampki z fabryki w Grudziądzu, te przynajmniej posłużą. Skarpety – czysta bawełna z Żyrardowa. Niosła to wszystko wzdłuż ogrodzenia boiska, gdzie ksiądz Władeczek grał w piłkę z ministrantami, a ich śnieżnobiałe komeżki łopotały na kolczastych drutach.

– Siostro, pochwalony, ale moment!

Ksiądz kapelan zostawił bramkę bez obrony i zakasując sutannę, popędził ku siostrze Perfekcie. Aż się zadyszał.

– Niech siostra wraca, bo tu wszyscy szukali siostry! Pilne sprawy. Kardynał! Kardynał przyjechał specjalnie do siostry. Eminencja Eusebio di Barrola z Kongregacji Rozkrzewiania Wiary.

– Dam tylko za kurs rikszarzowi i zaraz wracam.

– Ja mu zaniosę.

116

– On będzie mówił, że buty za małe i woli gotówkę. Nie dawać. To kalifornijski ćpun.

Już na korytarzu siostrę Perfektę i matkę przełożoną zatrzymała siostra Miranda. Jej okulary druciaki błyszczały jak zbroje krzyżowców.

– Dokąd śpieszą?

– Monsignore di Barrola czeka. Są z nim panowie – odpowiedziała zatroskana Plusquamperfekta.

Miranda zastawiła im korytarz swoją drobną postacią.

– Na szczęście nie panie. Niech poczeka. Jak ta idzie do kardynała? Prosto ze szkoły. To jak z pastwiska. Umyć siostrę. Czysty habit przyniosę do lawatorium. Tu mydło, trochę lepsze niż leży.

Wetknęła Perfekcie pachnące mydełko, zakręciła się na pięcie i pobiegła po czysty habit.

Po dwudziestu minutach Perfekta i jej przełożona weszły do rozmównicy.

Kardynał wysoki, siwy, przygarbiony. Typ bibliotekarza. Jego sekretarz blady, wielkooki, ze smugą precyzyjnie podgolonej brody wokół długiej twarzy. Wyrób Societas Iesu z pieczęcią jakości. I jeszcze dwu w garniturach, Włosi. Stary, gruby, z jedwabnym żółtym fularem pod szyją, młodszy pod krawatem. Banco Crasnoff di Venezia, Primo Banco Internazionale di Genova.

Na początek całowanie pierścienia, rewerencje, banały. Kardynał oświadczył, że Stolica Apostolska z uwagą i szczególną życzliwością śledzi zmiany sytuacji na Strychu Świata i dziękuje Niebu za opanowanie aktów przemocy. I z troską pochyla się nad nowymi wyzwaniami.

– Chwila, moment – wtrąciła nagle Perfekta. Chwila,

moment, zero stresu. – Jeśli eminencja wybaczy, chciałabym podnieść kwestię formalną. Chyba byłoby celowe, gdyby poprosić pana Illarioniego z Primo Banco Internazionale di Genova, aby odbył przechadzkę po mieście. Tu nie ma czego szukać. Jego bank praktycznie nie istnieje, aktywa zostały przejęte przez wierzycieli w Szwajcarii, a nieruchomości zajęte przez komorników na poczet niespłaconych podatków i kar umownych. Jeśli rozmawiamy serio, rozmawiajmy w gronie wiarygodnych partnerów. Banco Crasnoff di Venezia ma trudności ze spłatą pożyczki argentyńskiej w związku z nieudaną akcją przewalutowania długoterminowych długów, ale zostawmy, ma szansę się wygrzebać. Ostatnio inteligentnie alokował prognozowane straty na giełdach. I wejdę wielebnej eminencji w słowo, z pewnym wyprzedzeniem. Ja wiem, za szybko to wszystko idzie…

Tu siostra Perfekta zatrzymała się, aby signor Illarioni mógł spokojnie wycofać się z sali obrad, zabierając tekę dokumentów i laptop.

– Idzie za szybko, jak mówiłam – podjęła po przerwie. – Oni przesadzają z nawróceniami, co już wywołało reperkusje. Sąsiednie kraje są zaniepokojone, szczególnie Cesarstwo Barchanu i Wolna Marksistowska Republika Charbanu. Przecież nie można zacierać tożsamości tych plemion, a ich tradycje etniczne splecione są z islamem. Czy dżinizmem z drugiej strony gór. Czy buddyzmem zen w południowo-zachodnim chanacie. Gdy zyskujemy pewne możliwości działania, musimy ich użyć w obronie miejscowego folkloru, nie będziemy wyrzucać na śmietnik ani literatury śpiewanej, ani stroju, ani domowych

118

obyczajów. Kto jest silny, musi być ręką Opatrzności dla innych. Pokój jest wielką wartością, ale tu nam się rodzi nie pokój, tylko hollywoodzki kicz na temat pokoju. Z coca-colą i dżinsami w roli głównej.

– Ta uwagi niezmiernie ubogaciły nasze spotkanie – powiedział kardynał, przymykając oczy. – I każda z nich powinna stać się tematem poważnego studium pastoralnego. – Poszeptał chwilę z księdzem sekretarzem. Wyjął pudełeczko z różowego plastiku i wręczył je siostrze Perfekcie. Wewnątrz grzechotał różaniec. Znowu poszeptał z sekretarzem i po chwili dodał z uśmiechem: – A może jeszcze słowo od pana prezesa Viberti-Muniniego?

Starszy pan z żółtym fularem w rozcięciu granatowej jedwabnej koszuli podniósł klapę swojego laptopa. Nie włączał go jednak.

– Przed przyjazdem konsultowałem swoją opinię w sprawie kondycji tutejszej gospodarki z doktorem Zucharem Ben Alim. Czcigodna siostra była łaskawa wspomnieć o rosnących szansach pokoju w regionie. Jestem w kontakcie z grupą europejskich banków, które zaangażowały swoje aktywa w handel bronią. Jeśli kondycja banku w Genewie jest tak zła, jak to łaskawa była czcigodna siostra wykazać, to między innymi przez dotkliwe straty wywołane dyskoniunkturą w branży uzbrojenia. Spadki od roku, miesiąc w miesiąc są dwucyfrowe. Pokój to ładnie brzmi. A w praktyce oznacza to upadłości firm, bezrobocie, biedę rodzin. A co gorsza, zastój w innowacyjności. Szereg instytutów badawczych branży obronnej nie ma nawet pieniędzy na ogrzewanie laboratoriów.

Naukowcy pracują, bo motorem działania jest umiłowanie prawdy. Plus niepokój twórczy. Ale marzną...

Tu nieoczekiwanie wtrąciła się milcząca dotąd siostra przełożona.

– My robimy swetry, sprzedajemy bardzo tanio. Dzięki hojności firm ubezpieczeniowych pobudowaliśmy warsztaty, w których zatrudniamy setki inwalidów wojennych, są tam i kobiety, i młodociani. Mina wybucha, nie patrzy, prawda? Bez rąk, bez nóg, także niewidomi, wszyscy mogą pracować. Ja teraz najdroższych gości zapraszam na skromny posiłek właśnie w jednym z takich zakładów produkcyjnych, to zjemy sobie wspólnie. A przy okazji pokażemy wyroby, bo naprawdę tanie i ciepłe. Nadadzą się tym profesorom, co marzną. A wzory wszystkie ludowe, to piękno natchnione, dar Ducha Świętego, tu zresztą siostrzyczka słusznie na temat folkloru wspomniała.

Dyrektora Guido Illarioniego specjalnie wysłany przez generała Zakrupę patrol odnalazł w jednym z lokali rozrywkowych dla dżentelmenów, przy ulicy Poganiaczy Wielbłądów. Dzięki temu on także mógł obejrzeć swetry robione przez personel fabryki i zjeść posiłek z załogą. Oczywiście kardynałowi, sekretarzowi i włoskim finansistom wdzięczne za wizytę siostry nakryły przy osobnym stole, menu było też bardziej wykwintne. A Viberti Munini dostał paczkę pięknych swetrów dla marznących załóg instytutów badających nowe rodzaje min i granatów.

ROZDZIAŁ PIĄTY

Panna Bylekto *en voyage*

„To powinno być zabronione", myślała siostra Perfekta, zanurzając się w labirynt namiotów, tipi, jurt i szałasów na placu przed Bazyliką Świętego Piotra. Szósty raz w czasie trzech dni musiała przebrnąć przez Miasteczko Oburzonych i zabierało jej to coraz więcej czasu. Ruch Oburzonych dojrzewał programowo i organizacyjnie, co powodowało nieustanne zmiany topografii labiryntu schronów i legowisk. W miarę jak pogłębiały się rozłamy, jak rzucano sobie wzajemne oskarżenia o zdradę ideałów i niesprawiedliwy rozdział soczewicy, mleka w proszku i papierowych ręczników, powstawały nowe uliczki, zaułki, nawet dzielnice. Feministki odłączyły się, ich terytorium strzegły, w punktach kontrolnych, uzbrojone bojownice z sukami na smyczach. Radykałowie żądali usunięcia z terenu miasteczka sanitariatów, które uznali za symbol kapitalistycznego zniewolenia. Skrzydło rewolucyjne zaczynało budowę barykad w wielu miejscach, ale przeważnie kończyło się na rzuceniu na kupę paru ławek, przywleczonych z parku, i worków z piaskiem, potem zaczynały się kłótnie,

121

kto jest wrogiem pierwszej kolejności zarzynania. I kto ma być po której stronie barykady. Raz drogę zagrodził siostrze przemarsz nudystów, na czele szedł brodacz odziany tylko w tablicę: NATURYŚCI DLA UCISKANYCH Z PLANTACJI BAWEŁNY, za nim dyszący z przegrzania tłum odzianych w pięć czy sześć warstw bawełnianej odzieży. Nieskładnie, w paru językach, wykrzykiwali coś przeciw sztucznym włóknom. W pobliżu, na tarasie ekskluzywnej Café Michangelo, rozbiła jedwabne namioty w pastelowej gamie barw frakcja Oburzeni na Oburzonych – garnitury mężczyzn, stubarwne suknie i skrząca się biżuteria kobiet, kłuły tłum w oczy, a jakby tego było mało, znad stolików zastawionych homarami i melbą, znad srebrnych wiaderek z butlami szampana, podnosiło się co chwila wykrzykiwane chórem: „Własność panowie, własność panie, *cogito ergo sum* w śmietanie!".

„Ktoś powinien ich wszystkich przenieść stąd na przedmieścia – myślała Perfekta – tam może dogadaliby się z biedotą z tekturowych bud, z Cyganami, Albańczykami, Polakami i Marokańczykami. Tu już ich zobaczono, policzono, zorganizowano dla nich nawet wykłady o tym, co to jest doktryna Kościoła o opcji na rzecz ubogich. Nie bardzo słuchali, a teraz tylko przeszkadzają pielgrzymom. Niechby ich wyrzucili za Nomentana albo dalej, za Pietralata, gdzieś".

Przekroczyła w końcu rogatki tego oburzonego karawanseraju i przez Via Cassia doszła do stacji metra. Nowe sandały powykrzywiały się i paliły stopy, teka z dokumentami urywała rękę. Czekała ją znowu droga na lotnisko Fiumicino. Rzym był okropny. Rozmowy w Watykanie za mądre, nie na jej skołataną głowę, upały jak w Dżamijabadzie przed monsunem, do tego szklanka wody kosztowała pięćdziesiąt razy więcej. No i te bezczelne oczy. Tłumy przystojnych brunetów, pewnych swojej urody, narcystycznie sadowiących się w metrze, przy stolikach restauracji, na siodełkach skuterów. Łeb z profilu, bo ten rzymski nochal! Tułów na wprost, bo te bary gladiatora. I gapi się szczęśliwy. W Dżamijabadzie nawet teraz, przy pewnym poluźnieniu obyczajów, trzeba było uważać ze spojrzeniami. Jeśli ktoś uznał, że mężczyzna czy chłopiec zbyt bezczelnie patrzy na jakąś córkę, siostrę, żonę, nie zwracał uwagi, że to nieładnie. Od zwracania uwagi był kindżał.

A tu wywalają gały bezwstydnie. Do tego metro – płać, autobus – płać, kolejka do portu lotniczego – znowu, trzy razy więcej. Tu wesoły sierżant kierowca w zaprzyjaźnionym „rosomaku" nie podwiezie, choćby było mu nie po drodze. Znowu przesiadki nie pasowały. Po trzech godzinach dowlokła się do terminalu T-4, odnalazła poziom G, na nim bramkę 23. Weszła do baru, aby nareszcie usiąść. Dyskretnie zsunęła z bolących stóp sandały i rozejrzała się. Para starszych Japończyków, obłożona angielskimi gazetami, jadła gruszki. Na rękach mieli plastikowe rękawiczki, przed sobą talerzyki, nie dotykali owoców inaczej jak plastikowymi nożykami i widelczykami. Poza tym nikogo. Nie, nie widzieli grubej zakonnicy z dużym bagażem.

Rzym był pułapką. Przyleciały gładko, zmieniły samolot w Karaczi – i już były na miejscu. Wydostać się trudno. Najpierw jakieś zniżkowe bilety z perspektywą czekania w Moskwie i Wuhanie. Potem strajk kontrolerów lotu, wreszcie, po krwawej awanturze w Hamburgu, pomarańczowy alarm antyterrorystyczny na wszystkich lotniskach Europy. Więc od kilku dni wzmożona kontrola z wszelkimi rewizjami, rentgenami, tomografią i endoskopią. Ich paszporty musiały być potwierdzone przez polską ambasadę, z Watykanu też potrzebne poświadczenia pobytu. Teraz miała w ręku komplet papierów. Ale nie było siostry przełożonej, jej telefon głucho zadzwonił gdzieś na dnie w teczce, którą Perfekta trzymała w ręku. Zero łączności. Prawdę mówiła siostra Misteria, skoro Rzym miasto święte, to demonów tam jak much na landrynce. Nie dawały odlecieć. Te demony.

Perfekta wiedziała jedno – jej zwierzchniczka ze względu na obyczajność nie życzyła sobie tych wszystkich zbyt cielesnych zabiegów służb granicznych. Jak się dowiedziała, że odciski palców to za mało, że jeszcze będą rejestrować i porównywać tęczówki oczu, tylko westchnęła: „Pomodlę się, żeby to była nieprawda".

Japończycy skończyli gruszki i zaczęli spokojną naradę w stylu kabuki na temat ogryzków, obierków i ogonków. Może ekolodzy. Nie przyglądała się im nachalnie, ale czuła, jak jest niedelikatne, że ich w ogóle widzi. Spuściła oczy i napotkała wzrok wpatrującej się w jej twarz maleńkiej dziewczynki.

– Wyście som jakosi Fekta? – spytała dziewczynka. Była ubrana w strój góralski z Podhala, mogła mieć pięć lat. Niebieskie oczy, blond warkoczyki. Nie czekała na odpowiedź. Wzięła zakonnicę za rękę. – Podźciez haw – powiedziała i pociągnęła ją w stronę schodów na poziom H.

Tam, w kafeterii, Perfekta zobaczyła swoją zgubę. Przełożona siedziała nad herbatą, zagadana z góralem tak kompletnie regionalnym, że nawet nie zdjął z głowy kapelusza z muszelkami. Tylko ciupagę oparł o krzesło obok. Mała bez słowa puściła rękę Perfekty i wdrapała się góralowi na kolana.

Perfekta siadła przy nich i poczuła, że kręci się jej w głowie ze zmęczenia. Jak przez mgłę docierało do niej, że siostrzeniec Plusquamperfekty nazywa Józek Bidoniak Jaśków, ale pisze się Stanisław Mateja. Tyle że na Nędzówce było Staszków Matejów dwóch, więc Jaśka syn był Stasek Jaśków, ale pasał u ujka Bidonia, który po prawdzie był bogaty, ale miał taką pogwarkę: „He – bida będzie", więc ujka Styrczulę wołali Bidoń. Z kolei imię Józek dostał w zespole Hyrno Nuta Nasa, bo ślicznie wyciągał śpiewankę *Józicku, zbójnicku…*

Zbójnicek był potężnej postury, grubawy w karku i w pasie, jego czerwona pyzata gęba była starannie ogolona i miała wyraz niezachwianej pewności siebie. Matka przełożona ze swoim siostrzeńcem mówiła po góralsku, a z Perfektą polszczyzną zakonów żeńskich. Po objaśnieniach co do siostrzeńca przyszła kolej na rewelacje – oto bez rewizji osobistych, prześwietleń, oddawania ostatniego pilniczka do paznokci, będą mogły dostać się do samolotu, bo Józek ma tu swoją ścieżkę przedeptaną, co miesiąc bywa u papieża. Jak bywał u polskiego, tak jeździł do niemieckiego, a teraz jeździ do Argentyńca.

– Po co? – spytała nierozważnie Perfekta.

Józek przeszył ją spojrzeniem siwych oczu spod wypłowiałych brwi, jakże innym od tych spojrzeń, którymi obgryziwali ją rzymscy *amorosi*. Było w tym życzliwym spojrzeniu rozbawione lekceważenie.

– Bo mnie stać! – palnął.

Przełożona w skrócie przedstawiła plan. Józek już dawno to musiał przepróbować, bo inaczej nie puszczaliby go z ciupagą na płytę lotniska i do samolotu. Dowiedział się, że w jednej z toalet dla VIP-ów dyżuruje często gaździnka z Gliczarowa, wdowa Śmiortkowa. Już trzeci pontyfikat tę posadę trzyma. Gada po tutejszemu lepiej niż Rzymianki z Trastevere, ale ckni jej się za góralskim jadłem. Jak się jej przywiezie parę oscypków, to uruchamia przejście przez toaletę do magazynu na szczotki i stamtąd do drugiej toalety, tak że omija się wszystkie kontrole. A jak się doda flaszeczkę litworówki z Szaflar, załatwi wszystko: pieczątki, kwity bagażowe, karty pokładowe, przebukowanie na lepszy lot. Bo jakby to w ogóle było, żeby gazdowski syn nie miał, a jakiś VIP miał. Bo VIP-om nie ubędzie.

Jeszcze nie dopili herbaty, kiedy stanął nad nimi wąsaty żandarm, cały w szamerunkach i odznakach, śniady i nosaty, uosobienie włoskiej władzy. Wypiął brzuch z wielkim pistolcem w białej kaburze i spojrzał surowo.

– Chybojcie ku ciotce, ba wartko! – zakomenderował, złapał w jedną rękę walizkę matki przełożonej, w drugą torbę Perfekty.

Kiedy wychodziły z kafeterii, z trudem nadążając za białymi rzemieniami skrzyżowanymi na plecach żandarma, mała Karolcia podbiegła do Perfekty i ufnie wsunęła swoją łapkę w jej dłoń. Tak szły przez korytarze, wzdłuż sklepów bezcłowych, tak jechały schodami ruchomymi i ruchomym chodniczkiem, aż do Śmiortkowej. Ciepła dłoń dziewczynki niespodziewanie obudziła w Perfekcie jakieś nieznane jej uczucia. Był upał, było zmęczenie, zaskoczenie, zamęt, ale tu pojawiło się coś innego. Nowe, mgliste i ciepłe, wymykające się słowom. Trudno się było rozstać, dlaczego? Skąd ta pewność, że mała też żegna się niechętnie? Ani jednej łzy, a pewność.

Przeszli przez pustawy salon VIP, multikulturalną kaplicę dla VIP-ów – prosto w drzwi, za którymi czekała drobna i siwa pełna energii Śmiortkowa. Wycałowała zakonnice, przypomniała matce przełożonej, że czterdzieści lat wcześniej tańczyły na weselu u Galiców na Groniu. W końcu oświadczyła, że dla dobra sprawy musiała „syćka krapkę wyonacyć", co oznaczało, że nie przez Moskwę, Pekin i Wuhan polecą, ale Lufthansą do Bangkoku, a stamtąd lokalnym bezpośrednim do domu. Dom był w Dżamijabadzie.

*

W samolocie miały moc czasu na rozmowy i wspominki. Jeszcze raz przegadać trzeba było wszystko, co zdarzyło się w Watykanie. Audiencja generalna, świadectwo na konsystorzu, gdzie wobec tysiąca biskupów Perfekta przedstawiła przemiany na Strychu Świata, starając się zatrzeć swoją rolę w lawinie zdarzeń. Nie łudziła się zresztą, że tak to przyjmą, jeden do jednego. Świadoma była, że inne wiadomości idą innymi kanałami. I nie zdziwiły ją kameralne i nieoficjalne spotkania potem, od rana do nocy. Kardynałowie z Ameryki Łacińskiej skarżyli się i oskarżali, utrzymywali, że to Perfekta winna. Ona zapoczątkowała zmiany, a więc ona winna, że nieustannie docierają do siedzib biskupich naciski narkomafii kolumbijskiej. Gospodarka paru republik latynoskich grozi załamaniem. Na wsiach bieda! Świat zalewa tani haszysz azjatycki, dobrej jakości, bo tamtejsi katolicy produkują go bardzo uczciwie. O tych paradoksach rozmawiała jeszcze i jeszcze z matką Plusquamperfektą.

Obydwie znały te argumenty, a teraz zastanawiały się razem, chciały pojąć, ile może zrozumieć Europa. Jak tłumaczyć, że są wsie w Górach Kebabczerskich, gdzie nikt nie pamięta, że można by uprawiać coś innego niż te śmiercionośne monokultury. Poletko żywi rodzinę. I co, mają umrzeć, bo dostarczają trucizny? Ile pokoleń musi przeminąć, zanim do Chanaczanu i Kirfu dotrą instruktorzy rolniczy i pieniądze z rządowych projektów? Perfekta nie przyznała się przełożonej, że dwa razy odwiedzili ją „panowie adwokaci", wysłannicy mafii z Meksyku i Kolumbii. Obiecywali nieograniczone środki na cele charytatywne, jeśli sprawi, że w góry Kebabczeru i Chanaczanu powróci normalna przemoc, taka, do jakiej ludzie tu przywykli. Wojna trzymała ceny narkotyków na przyzwoitym poziomie, równoważyła rynek opiatów stref Pacyfiku i Atlantyku. Teraz w Azji rosną fortuny, a od Bogoty po Chicago bankrutują hurtownicy. Dilerzy znaleźli nowych dostawców. Do tego Chiny korzystają z rozchwiania równowagi, reklamują w internecie swoje zanieczyszczone chemicznie surogaty, dopalacze, pchają towar setkami ton, a rozprowadzają to legalne

128

firmy kurierskie jako „proszek do dywanów" albo „minerały kolekcjonerskie". Ci z Pekinu i Szanghaju inwestują w produkcję tego śmiecia w Birmie i Wietnamie. „A teraz co będzie? – pytali *abogados*. – Przyjmuje to siostra na swoje sumienie? Kto wyrówna straty naszym klientom?".

I pokazywali wykresy na ekranach laptopów. Giełda w Tokio reaguje nerwowo. Indeks Nikkei wariuje. Niektóre akcje mają wartość ujemną. A samobójstw przybywa! Zapamiętała złote łańcuszki z krzyżami wśród siwych kudłów na piersiach adwokatów, ciężkie pierścienie na grubych paluchach wędrujących przez klawiatury.

Nie było obrony. Siostra Perfekta mogła tylko powtarzać uparcie, że narkotyki są niezdrowe i nielegalne. To mówiła biskupom, to, tymi samymi słowami, prosto w ponure pyski, wysłannikom mafii. Trzeba dać ludziom inne szczęście w miejsce chemicznego odurzenia. Inną pracę w miejsce hodowli koki i maku, konopi i marihuany. Mówiła, że poprosi papieża, aby wysłał misjonarzy do Kolumbii i gdzie trzeba. Ona musi wracać do Dżamijabadu.

Już wracała. Teraz, w samolocie Lufthansy, raz jeszcze spytała matkę Plusquamperfektę, czy ich wizyta w Wiecznym Mieście miała sens, czy przyniosła pożytek. Przełożona uciekła się do swojej zwykłej odpowiedzi. Robić swoje, zawsze powierzać wszystko Opatrzności. Twarz przełożonej była jednak bardziej niż zazwyczaj zatroskana, postarzała. Jakoś tak mimochodem Plusquamperfekta wspomniała, że znaleźli do niej drogę ci sami bankowcy, którzy odwiedzali Dżamijabad jako rzecznicy firm finansujących przemysł zbrojeniowy, i znów pokazywali, że to, co można nazwać pokojem i pojednaniem na skalistych bezdrożach Strychu Świata, ma swoje lustrzane odbicie w dzielnicach przemysłowych Europy i USA. Tyle że tu pokazuje się światu twarz biedy, głodu, kryzysowej zapaści.

Po obiedzie zmówiły jeszcze różaniec, a kiedy stewardesy zapowiedziały lądowanie na pasach aeroportu Suvarnabhumi w Bangkoku, Plusquamperfekta zwróciła się do swojej młodej towarzyszki z ciepłym, matczynym uśmiechem.

– Daj rękę – powiedziała. – Daj rękę, chcę ci podziękować.

Perfekta wyciągnęła dłoń do przełożonej. To było coś niespodziewanego, inny, nowy ton w głosie.

– Bóg zapłać, mała, za wszystko. Nasłuchałam się za ciebie i o tobie. Od generała jezuitów po koadiutorów kanonicznych Banco Ambrosiano. Poznałam opinie jeszcze ważniejszych osób. Mówili o tobie tak, jakbyś była nową nadzieją, nie wahali się porównywać z Matką z Kalkuty. Rumienisz się, niepotrzebnie. To wszystko próżne słowa, powierzchowne myślenie. Kto myśli, że jesteś na prostej drodze ku zasługom i świętości, nic nie wie o tobie. Myślałam, że będzie dla ciebie miejsce w prenowicjacie, ważyłam czas obłóczyn. Ostatecznie pogadałam z Józkiem Bidoniakiem. Zna życie, chłop po wojsku, siedział w Wiśniczu. On nie miał wątpliwości.

– To znaczy?

– Kupiłam ci na Porta Portese sukienkę z wyprzedaży. Myślę, że dobry rozmiar. Na lotnisku przebierzesz się, bo to, co masz na sobie, jest własnością zgromadzenia. Jakoś z twoją torbą i teką też będę sobie musiała poradzić. Rozstaniemy się tutaj. Ja jadę dalej, twój bilet jest tylko do Bangkoku. Nie pytasz dlaczego? Więc posłuchaj. Problemem są mężczyźni. Wiesz o co chodzi? Otóż w skrócie, można być ponętną blondynką pod niebem Strychu Świata. Ale pod tym niebem nie ma miejsca dla Blandi Waciak. Józek jest tego pewien. Idź, dziewczyno, swoją drogą, my cię nie zapomnimy.

Potem było jeszcze krótkie: „Boże prowadź". Długo patrzyła za masywną sylwetką Plusquamperfekty na schodach ruchomych. Matka przełożona nie obejrzała się, połknęły ją drzwi, potem rękaw prowadzący na pokład maszyny. Została sama, nawet imię odpłynęło z tamtą. Nie była już siostrą Perfektą. Nigdy nie chciała być zakonnicą, a nagle poczuła się jak chwast wyrwany z korzeniami i rzucony na miedzę. Przejrzała się w szybie biura wypożyczającego samochody. Brzydka pomarańczowa kiecka mini we fioletowe i żółte kwiaty. Głowa obsmyczona byle jak przez siostrę fryzjerkę. Sandały na jeden palec, z ozdobionym muszelkami łańcuszkiem. Plastikowa czerwona torebka, a w niej paszport, ciemne okulary i zwitek banknotów. Panna Bylekto w podróży na koniec życia.

*

Chciała wykupić na lotnisku tygodniową wizę turystyczną, ale dali jej trzytygodniową, i to za friko. Obeszła hale dworca lotniczego, znalazła właściwe biuro, zarezerwowała hotel, wypożyczyła skuter. Za progiem hali uderzył ją lepki, wilgotny upał. Odebrała skuter od chłopaka w błękitnym kombinezonie i jeździła godzinę po mieście, po nieznanym kosmosie, zatrzymywała się tu i tam, wszystko było nowe i obce, na pół minuty zagapienia. O, handlarz ptaków! O, targ pływający, wariactwo kolorów na łódeczkach. O, tu tańczą w dziwnych czapkach… I znów pędziła. Czuła się rozpaczliwie i cudownie naga, wiatr tarmosił jej sukienkę, pewnie świeciła różowymi majtasami tym, których wyprzedzała. Tłum aut, przeważnie świetne bryki, ale też trójkołowe motoriksze, autobusy, motocykle. Trąbili na nią, a może nie na nią, bo trąbili ciągle. Zanurzyła się w hałas popołudniowej gorączki. Pałace o spiczastych dachach i wieżowce ze szkła i stali, wielopasmowe estakady, mosty nad rzeką, tramwaje wodne na rzece i wisząca kolejka nad dzielnicą handlową, niechlujne girlandy drutów elektrycznych, zapach smażonych ryb i sezamowych ciastek na tłocznych bazarach, psy i śmieci, hordy małp w parkach. Zatrzymała się poniżej Wielkiego Pałacu Królewskiego, aleja spacerowa, duszny wiaterek od rzeki, tyle dzieci, śliczne ciemnookie dzieci, postrojone, obdarte, półnagie. Przypomniała sobie córkę Józka, jej błękitne ślepka, ciepłą rękę. Po co jej to? Rzuciła żebrzącym maluchom jakieś pieniążki i z powrotem na skuter, poleciała dalej.

Budda w małych kapliczkach i leżący Budda wielkości jumbo jeta w świątyni ze złotym dachem. Nie podobały się jej oczy tego Buddy, poszukała bocznej uliczki, świątynki z Buddą siedzącym. Siedział jakoś odwiecznie, z nieobecnym zaświatowym uśmiechem. Parumetrowy posąg z zielonego szorstkiego kamienia. Wypolerowane tylko policzki, wargi, powieki. Jak wycałowane do połysku. Przy lewym kolanie, na papierowej tacy, ofiara z bananów, placków, czerwonych nieznanych owoców, butelki coli. Tak, przed tym o zamkniętych oczach można odetchnąć.

Oddała skuter w najbliższym punkcie wypożyczeń, nie dając się oszukać przy zwrocie kaucji, potem nie bez trudu znalazła uliczkę z fioletowymi kwitnącymi pnączami w górze, okrągły placyk na jej końcu. Wróciła do zielonego Buddy, który nie patrzy. Teraz nie była przed nim sama, dwoje białych przyniosło sobie składane płócienne krzesła i tkwiło przed posągiem. Już nie były tak ciekawe te wypolerowane powieki ani to, co za nimi. Zagadała do białych, aby usłyszeć własny głos. Szkoci, podróż w dziesięciolecie ślubu. On łysy, kościsty, w żółtym kombinezonie z uciętymi rękawami i nogawkami. Ona chuda brunetka, zadbana, choć ubrana bez gustu. Chcieli objaśniać, bo już coś wyczytali z przewodników. A ten Budda to… Kobieta poszukała notatek i na wizytówce napisała imię Amoghasiddhi. Ten strzeże kierunku północnego i może chronić przed zazdrością.

– Dobrze – powiedziała Blandi-Perfekta. – Dziękuję. Dobrego dnia, gratulacje na waszą rocznicę. Dobrze, pojadę na północ. Nie będę zazdrosna.

Pomyślała, że to, co będzie, ukryło się za zielonymi powiekami posągu. Poczuła się głodna. Zjadła w knajpce na rogu smażony ryż z owocami morza. Odnalazła swój tani hotel przecznicę dalej i zadzwoniła do ambasady. Ostrzegli, że spadnie deszcz. Spadł, koszmarny. W hotelu nie było internetu, więc brodząc w potokach niosących uliczką śmieci i połamane deszczem gałęzie dotarła do knajpki, gdzie jadła, bo tam mogła usiąść do komputera. Zapadła ciemność, bo burza wyłączyła światła. Po paru minutach znów zapaliły się okna, lampy, neony. Deszcz ustał jak ucięty. Za witrynami szorowała jeszcze bura woda.

*

– Co pani dyrektor taka wesoła?

– Ja, wesoła? Co pan, panie reżyserze?

– Śpiewa pani przy zmywaniu. Pierwszy raz słyszę, pani dyrektor. Dostała pani jaką robotę?

Glorenda wytarła ręce w kuchenną ściereczkę, odgarnęła włosy z czoła i stanęła w drzwiach pokoju, w którym zagnieździła Rafała Skoreckiego. Siedział przygarbiony przed wygaszonym ekranem laptopa. Widać było, jak prześwituje mu pośrodku głowy nieśmiała jeszcze łysinka. Włożył znowu rudą koszulę, do której przyszyła mu guzik, nieśmiertelna skórzana kurtka zawisła na oparciu krzesła. Niedopita herbata stała na podłodze, całe biureczko było zasnute zwojami pobazgranego papieru. Odwrócił się do niej w końcu.

– Nie dostałam roboty. Poszłam na jakieś interwju, ale… Za to córka odezwała się. Miała jechać do Rzymu. A tu bang, bang, Bangkok.

– Podobno świetne miejsce na seksturystykę.

– Chyba pan chce, żebym panu przylała, panie reżyserze. Nie mam pojęcia, z kim tam jest i co robi, ale nie życzę sobie takich podejrzeń. Ważne, że się kontaktuje. Bardzo lakonicznie. Mamo, na adres ambasady, na moje nazwisko przyślij zdjęcie, które ci przysłałam. I tyle tekstu.

– A mógłbym zobaczyć to zdjęcie? Pozwoli pani dyrektor?

– Nie i jeszcze długo nie, panie reżyserze. Ale będzie pan obserwowany pod kątem ewentualnych zasług. A jak pan kopnie herbatę i wyleje na wykładzinę, sto punktów karnych.

Kopnął i wylał. Przyniosła z kuchni mopa, bo ukląkł i wycierał chusteczkami. Jak już uporała się z tym, poszła do siebie i z szufladki stolika nocnego wyciągnęła portfelik, z niego zdjęcie. Zakonnica stała na nim obok wysmukłej kobiety w błękitnej burce, twarz tej drugiej całkowicie zasłonięta, oczy spoglądają spoza krateczki z tasiemek. Pomyślała, że nie będzie o nic pytać. Zrobi odbitkę i pośle. Bo przecież nie zostanie bez dedykacji: „Mamie. Ja to chyba ta po lewej".

Stał w drzwiach. Ten Skorecki. Od dawna nikt nie działał jej tak na nerwy jak ten reżyser nieudacznik. Wścibski. Pewnie mu się zdaje, że ma prawo, bo zbiera materiał na oscarowy film. Wrzuciła zdjęcie i łupnęła szufladą. Nie mógł nic widzieć z tej odległości, nie mógł przeczytać podpisu tym bardziej. Strzeliła drzwiami przed nosem intruza.

Zapukał.

– Ja tylko, pani dyrektor, przyszedłem powiedzieć, że ma pani gościa. Młodzieniec.

Wyminęła go bez słowa i poszła do korytarzyka. Pod słabą żarówką stał tam Szymon, powiedzmy ekspartner Blandi z krakowskich czasów. Wyglądał kiepsko, był ostrzyżony na łyso, nieporządnie ogolony, ubrany w pstry podkoszulek i dżinsy, które wyglądały, jakby zaatakowali

je kosynierzy, całym pułkiem. Schudł. W rękach trzymał
słój i patrzył wilkiem.

– Matka przysyła, bo jest wdzięczna. Fasolka po bretońsku. Jadłem, może być.

– To nie jesteś w Krakowie?

Wzięła od niego słój. I pomyślała, że jak raz się
przyda.

– Wyleciałem z uczelni. Nie słyszała pani o jakiej robocie?

– Sama szukam. Czwarty miesiąc.

– Pójdę. Jakby pani do Blandi, to niech pani tego. Że
mnie jest łyso jak ten... I do widzenia. Po słoik przyjdę,
bo matce potrzebne.

Poszedł. Na ile on właśnie był winien wszystkiemu?
Na ile wszystko właśnie jego wybrało na ofiarę? Głupie
myśli.

Chiński krawiec nazywał się Li-Tachen, a jego miła
córka nastolatka Li-Tachai. Razem prowadzili na bazarze
pracownię – pod dachem z furgonu volkswagena stała
stuletnia maszyna do szycia z napędem nożnym, zydel
dla krawca, fotel dla klienta. Legowiska dla pana i panny Li mieściły się za maszyną, osłonięte parawanem ze
szmat i przykryte jeszcze strzechą z trzciny. Blandi wy-
tropiła ich po parokrotnym przepatrzeniu bazaru i szybko przekonała się, że zrobiła dobry wybór. Li-Tachai
znała nie tylko angielski, chiński i tajski, znała również
niemiecki, francuski i holenderski, a do tego posługiwała
się paroma narzeczami miejscowych mniejszości. Mapę
Bangkoku miała w swoim czarnym łebku, mogła dotrzeć
wszędzie. W wynajętej motorowej rikszy przemierzyły

dziesiątki kilometrów bulwarów, uliczek, zaułków, od-
wiedziły supermarkety, sklepy, stoiska na bazarach. Materiały musiały być wybrane bezbłędnie, kolor nici do
szycia też był ważny, a Blandi mogła polegać tylko na
zdjęciu przysłanym z Warszawy do ambasady, na pamięci swoich oczu, i palców dotykających tkaniny. Szycie
trwało parę dni, przez ten czas można było załatwić teczkę i plecak, bilet lotniczy i wizę.

Wieczorami Blandi spacerowała bulwarem, który
miał w perspektywie sylwetę Wielkiego Pałacu Królewskiego ze złocistymi spiczastymi wieżyczkami na tle
blednącego nieba. Czasem zachodziła do jedynego zna-
jomego w Bangkoku, do zielonego Buddy. Za kamien-
nymi powiekami zamkniętych oczu była przyszłość.
Szykowała się do niej, a uczucie, które w niej narasta-
ło, to nie był niepokój. Raczej wściekłość i ciekawość
wobec nieznanego, pewność, że nikt nie wie, wiedzieć
nie może. Nie ma sposobu, aby zajrzeć poza kamienne
powieki posągu.

*

– Prosiłem, abyśmy porozmawiali w cztery oczy – powiedział generał Zakrupa.

Wprosił się do klasztornej rozmównicy, a mógł przecież, jak bywało, wezwać siostry na rozmowę. Teraz jednak zmieniało się wszystko i trzeba było szukać jak. Jak
delikatniej, a skutecznie.

– Może cukru? Nie mamy nic do herbaty. Siostrzyczki upiekły ciasto, ale wszystko zaniosły do izby chorych.

Zakrupa wytarł czoło, kark i dłonie chusteczką.

Zakonnice oszczędzały na klimatyzacji, dlatego nie przepadał za tymi odwiedzinami.

– Nie słodzę, dziękuję – odpowiedział.

Matka Plusquamperfekta w milczeniu mieszała swoją słomkowej mocy herbatę.

– Proszę uwierzyć, panie generale. Siostra Misteria, które nam towarzyszy, jest właśnie po to, abyśmy mogli porozmawiać, pewni dyskrecji.

Generał pokiwał głową. Nie było sensu spierać się o bzdury. Stłumił łykiem herbaty ochotę na coś mocniejszego i zaczął, ostrożnie.

– Chyba siostra wie, że moim żołnierzom i mnie osobiście przedłużono o pół roku służbę na Strychu Świata – odezwał się półgłosem, zdradzając tajemnicę wojskową. – To znaczy tyle, że nie szykują kolejnej zmiany. Przyjdzie rozkaz, to trzeba będzie spakować manatki i adju. Do chaty. Może to potrwać jeszcze miesiące, a może w trybie przyśpieszonym zaczniemy zwijać cyrk za tydzień. Albo dwa.

– Tak. Wrócić. I zobaczyć Polskę – powiedziała cicho. – Ja też tęsknię. Będziemy panów wspominać, w modlitwie nie zapomnimy o żywych i o tych, co zginęli. My zostajemy, bo nasza praca się nie kończy.

– A kto będzie zapewniał obronę siostrom?

Matka przełożona uśmiechnęła się i pokazała palcem na sufit.

– Trzeba się liczyć z wielkimi zmianami – powiedział Zakrupa. – Kiedy zabraknie nas i naszych sojuszników, wszystko będzie inne. Amerykanie próbowali przekazać lotnisko cywilne w Dżamijabadzie miejscowym. Na szkolenie personelu wydali miliardy. I co? Przeszkoleni pracują w Indiach. Lepsze zarobki. Bezpiecznie. A tu z dnia na dzień stanęło wszystko. Jankesi musieli z powrotem przejąć cały majdan i jeszcze wypłacić odszkodowania pasażerom za ten jeden dzień bałaganu. Siostra Perfekta parę razy ostrzegała nas, że tu chrześcijaństwo rozwija się za szybko, będzie płytkie i niepewne przez długi czas. Ostatnio przekonywała mnie, że trzeba śpieszyć z pocieszeniem do mułłów i imamów, wielu ma depresję, czują się opuszczeni, niepotrzebni. Sfrustrowani, bo wierni odchodzą. Myślałem o jakiej psychoterapii dla nich. Teraz ona...

– To już nieaktualne. Jak pan generał wie, wróciłam z Rzymu bez siostry Perfekty. To była wyjątkowa osoba, ale minie jeszcze wiele czasu, nim odnajdzie swoje powołanie. Wyjątkowa, to nie tylko moja opinia. I jej zasługi są docenione. Na razie jednak, panie generale, drogi się rozeszły.

– Ale ja wczoraj z nią, tu, w tej rozmównicy...

Siostra Misteria wstała i hałaśliwie wytarła nos.

– Chyba czas na kompletę – odezwała się.

– Dziękujemy panu generałowi za odwiedziny – powiedziała matka przełożona, dopiła herbatę i wstała bez pośpiechu.

Generał nałożył hełm, zszedł na parter i pod osłoną adiutantów wsiadł do „borsuka". W sztabie bazy powitała go wiadomość, że była siostra Perfekta, że zapowiedziała wizytę na następny dzień rano. Podrapał się po siwej szczecinie na głowie i rozkazał, żeby patrol żandarmerii zatrzymał siostrę, gdy się tylko pojawi. Do wyjaśnienia.

Nie pojawiła się jednak i generał nie zdziwił się zbytnio. Z dotrzymywaniem tajemnicy operacyjnej nie było już tak dobrze jak kiedyś.

*

Nie wiedziała, skąd i od kogo przyszło ostrzeżenie, aby więcej nie chodzić do generała. Nieformalna siatka sentymentów, znajomości, zależności działała już rozpędem, jak żywe pnącze. Od czasu swego powrotu Blandi coraz lepiej radziła sobie z tym, co nazywała „grą na trzech fortepianach". Zaczęło się od tego, że do samolotu tanich linii Asian Wings, lecącego z Bangkoku do Dżamijabadu, wsiadła skromna zakonnica z plecakiem i torbą – ta sama, która kilkanaście dni wcześniej przyleciała z Rzymu i w lotniskowej toalecie przeobraziła się w turystkę w kusej kiecce. Na lotnisku w Dżamijabadzie wysiadła już nie zakonnica, ale miejscowa kobieta w błękitnej burce, z zasłoniętą twarzą, spoglądająca na świat spoza krateczki z tasiemek. Wyszedł jej na spotkanie wysoki młodzieniec w karakułowej furażerce i szarej pelerynie, krok za nim postępował szofer w europejskim mundurze i dwu ochroniarzy w strojach górali z Płaskowyżu Trasłatańskiego.

Tak zaczął się dla Blandi kontredans przebrań. Habit, burka, znów habit. Maskarada była możliwa tylko dzięki pomocy miejscowych – mieszkała u pierwszej żony Harszida Ben Alego, korzystała z aut i ochroniarzy jej męża, ale także z biura i komputera jego przystojnego bratanka, Zuchara Ben Alego. Opanowywała coraz lepiej sztukę kamuflażu i dyskretnego działania. W zasadzie wystarczało być mniej więcej wiarygodną mniszką dla miejscowych i mniej więcej przeciętną muzułmanką dla sojuszniczych rogatek i patroli. Po paru dniach mogła już uruchomić program szyfrujący „piaskownica" i odezwać się do matki w Warszawie.

*

„Radzę sobie, mamo, i jeszcze raz dziękuję, że zdjęcie przysłałaś w błysk. Macie w Europie spory zamiąch z wiarygodnością bankowych funduszy gwarancyjnych, choć to oczywiście dociera do nas w złagodzonej formie. Wnerwia mnie co dzień, że te wszystkie pieniądze, jakie ma na kontach powołana przeze mnie Grupa Reasekuracji Prognoz, puchną, dostają siódmych zer, a moja matka gotuje cebulową na kurzych korpusach. Przecież w tych kościotrupach nie ma grama mięsa! Szukam wyjścia. Na razie utrzymuje się cudowny stan iluzji – jak już mówiłam, ktoś wziął za real moje wprawki w zakresie przedsiębiorczości finansowej i korporacyjnej, a inni za nim jak za panią matką. Wyścig gorących propozycji inwestycyjnych. Zamki z piasku na kruchym lodzie. Gdybyś mogła mieć na prywatnym koncie pół promila tego, co ja płacę jako podatek rządom w Manili i Makao, mogłabyś przynajmniej odżywiać się lepiej. Jak tylko to będzie możliwe, załóż lipne przedsiębiorstwo albo lepiej dwa. Jak będą dwa, to spróbuję zrobić taki crossing pożyczkowy – że pierwsze drugiemu żyruje pożyczkę inwestycyjną, gwarancje w towarze, loco rampa odbiorcy, z kwitem celnym, a drugie pierwszemu daje zgodę na francyzę i akonto pożyczki obrotowej wchodzi z aportem gotówkowym. Kiedy już będę miała na stole twoje aplikacje o pożyczki, może uruchomi się jakiś strumyczek, żebyś dostała kasę na żarcie i mydło. Ja tu na razie robię, co mogę. Posłałam człowieka po mojego genialnego krawca z Bangkoku i razem z Leilą i Szoszanną zaczynamy wielkie krawiectwo. Szoszanna to niby siostra młodego Zuchara, ale blondynka. To jest, mamuśku, najbardziej podejrzana blondyńskość, jaką spotkałam w swoim krótkim życiu. Więc z pomocą Li-Tachai, która sprowadza nie tylko materiały, ale także guziki, emblematy, kopie odznaczeń, baretki, znaki dywizyjne i korpuśne, popychamy tę sprawę psychoterapii odzieżowej.

Chodzi o to, aby zdążyć z szyciem mundurów generalskich na wzór amerykański dla starszyzny plemiennej, ważniejszych mudżahedinów, szejków i dowódców polowych. Jak się ich przebiera, inna z nimi rozmowa jest. Kosztowało mnie to sporo, ale nie idąc na ustępstwa ani do łóżka, zdołałam wytłumaczyć Harszidowi Ben Alemu, że najważniejsze, żeby się ostrzygli i przebrali. Jest po prostu w mężczyznach jakiś organ domagający się złotych epoletów, gruczoł uniformu. Jak się ich umunduruje i obwiesi emblematami, to znajdzie się potem kogoś, aby ich uczył manier. Od razu staną się lepsi. W mundurze generalskim jest się obrońcą niepodległości, nie terrorystą. Tu kurz, kurz straszny na ulicach. A jak taki jeden, zamiast zakurzonych sandałów z opon motocyklowych, ma na nogach wyczyszczone na hochglanz wojskowe buty, do spodni galife, głowa myśli trochę inaczej. Na ile to się udaje? Mamuśku, nie wiem. To wszystko po wierzchu, może nawet u nas za Bolesława Chrobrego bardziej było zakorzenione. Tu jeszcze pod lufami, ale przecież Zakrupa będzie musiał zabrać swoich żołnierzyków, chociaż wolałby nie, bo spłaca budowę willi w Woli Justowskiej.

Marzę jeszcze, aby z imamów i mułłów profesorów robić. Myślę, że jak się ma dziekanat z pieczątkami, z bałaganem w archiwum, jak się ma nad sobą magnificencję rektora, a z drugiej strony, do roboty, jakieś asystentki, sekretarki, laborantki, to słabnie trochę pokusa fundamentalizmu. Oczywiście, rozkręciłam, namówiłam, i jest tu system stypendiów, ale młodzi, kiedy już dostaną się do Oksfordu czy UCLA, czy innego Yale, to zostają tam. Zostają po prostu. Tam, gdzie pojechali. Jak im rośnie kultura, spada zamiłowanie do strzelaniny. A tu jednak pach-pach co ranka. Napisz może do twojego byłego, Joe O'Kohn chyba jest dobry w te klocki. Wiem, że bywasz u babci Okoniowej, jakieś tam dojście masz, chociaż zaszedł wysoko... Jakby już jakiś uniwersytecina się w Dżamijabadzie zalągł, to przecież mam przez ślicznego Zuchara i jego niby-siostrę, blondyńską Szoszannę, dostęp do decyzji w Banku Rezerw Północnego Pacyfiku, byłyby dotacje, na złote klamki by starczyło. Wiem, że masz teraz kłopoty...".

Glorenda wyłączyła nagranie córki. Tak, bywała u babci Okoniowej, pomagała jej. Ostatnio zaniosła nawet trochę fasolki po bretońsku, która się jej i Rafałowi Skoreckiemu już przejadła. Starej Okoniowej emerytura ledwie starczała na czynsz i prąd, a syn rzadko przesyłał dolary, częściej kolorowe zdjęcia swojej willi, basenu, rodziny. Trzecia żona była Afroamerykanką o irlandzkich korzeniach. Ubierały się fatalnie wszystkie cztery, ona

143

i jej trzy córki koloru cappuccino, które wniosła z poprzednich związków. Z Józiem miała dwuletniego Patryka, rudego Murzynka. To Debora trzymała kasę, musiało starczyć na studia dla jej córek, więc z podróży – tylko tydzień w Karolinie Południowej co roku. Co tam, napisze do O'Konia. Ostatecznie nie z własnego konta fundowałby uniwerek w Dżamijabadzie, zasiada w dziesiątkach rad senioralnych, jest w zarządzie Federalnego Obserwatorium Bezpieczeństwa, jeździ służbowo do Europy i wykłada na seminariach Jedności Atlantyckiej. Jako starszy Stołu Nadzorców Fundacji Harvardu może popchnąć od razu i projekt, i pierwszą transzę kasy. Tak, dawno nie pisała do Józka, bo o czym. Czym się chwalić, gdy przędło się głupio? Dom w Krakowie stracony, obiadów dla singli się nie sprzedaje, pracy żadnej nie ma. A szalona córka brnie w pełną bzdurę, w bzdurę niebezpieczną i egzotyczną.

Zajrzała do pokoju Skoreckiego. Był u niego jakiś niewysoki brodacz w czerwonej koszuli, twarz gdzieś już widziana, pewnie medialny aktor. Obydwaj siedzieli na ziemi, z laptopami na kolanach, i chichocząc, przekrzykiwali się. Pewnie pisali scenariusz komedii. Puszki po piwie stały gęsto dokoła.

– On wchodzi, a ona właśnie całuje się z tym gejem.

– Ale czekaj, on przecież po wypadku, w szpitalu.

– No właśnie, uciekł. Cały w bandażach, ręce obie w gipsie, tak! Bo ona...

Skorecki zauważył Glorendę w drzwiach. Brodacz też na nią spojrzał i poczuła, że warto było umyć włosy i zrobić oczy.

– Ja tylko... ale nie chcę panom przeszkadzać.

– Nie, nie – zaprzeczył żywiołowo Skorecki. – Od rana pracujemy i tego... Czy zostało tej fasolki?

– Resztę zaniosłam do kogoś potrzebującego. Niewiele tego już było. Zrobię panom jajecznicę, ale chleb się skończył.

Skorecki spojrzał na brodacza. Brodacz wyjął z dżinsów chudy portfel i schował go z powrotem.

– Jest mąka, zrobię naleśniki, a potem się zobaczy – powiedziała Glorenda i zamknęła drzwi.

*

– Co tak cicho? – spytał generał Zakrupa.

Siedzący naprzeciwko niego szczupły kapitan w polarowej kamizelce narzuconej na mundurową koszulę wstał, podszedł do okna i przez chwilę wpatrywał się w linię dachów Dżamijabadu. Zakrupa podniósł się i stanął obok szefa swojego wywiadu.

Dokoła wysmukłej wieży Insz Bazaar City Mall wyrosły dźwigi. Przybyło anten telefonii komórkowej. Niebo było puste, blade.

– Spokój, bo dziś wybory Miss Bazaru – powiedział kapitan. – Wszystkie lokalne organizacje dywersyjne ogłosiły moratorium na działania zbrojne. Trzymam naszych ludzi w czerwonym alercie jeszcze przez czterdzieści osiem godzin, bo jak ogłoszą werdykt, może być wybuchowo. Oni tu czasem kamienują swoje kobiety.

– Ja obstawiłem Szoszannę u bukmacherów.

– Właśnie z nią może być kłopot. Zapowiedziała, że wystąpi bez czarczafu. Z gołą głową po prostu.

– To rzeczywiście siostra Zuchara? – spytał generał

i zauważył, że obraz siostry Perfekty zaczął w jego pamięci blednąć. A blask Szoszanny pozwalał zapomnieć o latach i o zmęczeniu.

– Wywiad amerykański utrzymuje, że tak. Aleo na mój rozum to nie może być siostra. Mam jednak ważniejszą sprawę. Paru informatorów to potwierdza. Na dniach szykuje się zamach na życie siostry Perfekty. Na razie zleciłem obserwację. To jakby dwie ekipy, które przeniknęły tu z Europy czy Ameryki. Nie miejscowi, za to z dużymi możliwościami finansowymi. Nie współpracują ze sobą, raczej odwrotna tendencja, były już przestrzelanki na przedmieściu Yarin-Frusz. Łuski i pociski mamy w laboratorium.

– Tak, chyba siostry próbują schować tę małą – przyznał generał. – Wmówić, że jej nie ma. To na nic. A grupy likwidacyjne wchodzą sobie w drogę. Mam takie dane z niezależnych źródeł. Na razie ignorujemy.

– Może wystawić dyskretną grupę osłonową? – spytał kapitan.

– Ignorujemy! – powtórzył twardo generał. – Ignorujemy bezwzględnie. – I tego nie musi pan wiedzieć, a zresztą to nie moje polecenie. To zostanie między nami. Bez sentymentów. Gdzie drwa rąbią, wióry. Wióry.

Nie trzeba było aż szefa wywiadu, aby z twarzy generała wyczytać, że szkoda mu było tych wiórów. Nad dachami Dżamijabadu zapadał zmrok. Zapalały się neony i okna, a cisza była, że dzwoniło w uszach.

ROZDZIAŁ SZÓSTY

Długi serca, Mozart w haremie

Serpentyny i łuki szosy prowadziły wciąż wyżej i wyżej. Na wierchach pocukrowanych pierwszym śniegiem rwały się welony chmur, mgła ścieliła się w żleby, tuliła do stromych stożków piargu, kłębiła nad mrokiem dolin. Tu, niżej – babie lato pachnące ostatnimi malinami z leśnych polan. Ilekroć słońce wychodziło zza chmur w przestrzeń błękitnego nieba, robiło się gorąco. Prezydent co chwila ocierał kark i czoło białym ręcznikiem frotté i nie skracając kroku, biegł pewnie i rytmicznie. Czuł się bezpieczny. Rząd przygotowywał nowelizację budżetu, parlament pogrążył się w spory proceduralne wywołane skandalem bieliźnianym, a związki zawodowe obradowały nad stanowiskiem w sprawie gwarancji legalności strajków drożyźnianych. Tu na szosie było nie gorzej – szofer opancerzonej limuzyny nauczył się już, jak utrzymywać stałą odległość od szefa biegnącego skrajem asfaltu. Miał być tak daleko, aby prezydent nie słyszał mruczenia silnika, i tak blisko, aby kierowca-ochroniarz i sekretarz mogli być na zawołanie. A mieli przede wszystkim nie tracić szefa z oczu, mimo coraz bardziej ciasnych zakrętów i stromizny jezdni. Biegł i myślał o drugiej kadencji, jak o czymś, co mu się tak niewątpliwie należy jak prysznic po treningu.

Niemałe było zdziwienie prezydenta, gdy uświadomił sobie, że nie biegnie sam – usłyszał tuż za plecami lekki trucht drugiej osoby. Odwrócił się – oto dwa kroki za nim biegła dziewczyna w szarym dresie z czerwonym kapturem. Miała czarną buzię i bezczelny uśmiech na wyrazistych wargach. I wyglądało na to, że powód tego uśmiechu jest łatwy do odgadnięcia – za plecami biegnących nie było ani śladu pancernej limuzyny, ani śladu zaufanego kierowcy i wiernego sekretarza.

– Dobrego dnia – odezwała się biegnąca i odsunęła kaptur, odsłaniając obłok fryzury afro wokół głowy. – Dobrego dnia i gratuluję kondycji. Zwolnijmy, łatwiej nam będzie rozmawiać. Pan, zdaje się, jest prezydentem, ale to nieważne, dla mnie jest pan ojcem Gracjana. Ja się nie muszę przedstawiać. O Czarnej Danieli pan słyszał, prawda?

– W samej rzeczy, słyszałem – powiedział prezydent, łapiąc oddech.

Nagle poczuł się zmęczony, zwolnił kroku. Pomyślał, że sekretarz i kierowca, o ile jeszcze żyją, powinni zaraz nadjechać. Albo narobić alarmu, jeśli auto zostało zatrzymane. Czarna Daniela szła teraz obok niego, poczuł zapach jej potu i jakichś dobrych perfum. Była o głowę niższa od dostojnika, więc mówiąc do niego, zadzierała głowę. Rysy miała regularne, oczy hipnotyczne, uśmiech szerokozębiczny, a szyję wyjątkowo pięknie wyrzeźbioną. Chyba też doskonale wiedziała o tym.

– Pan pewnie nie wie, gdzie jest wieś Wilcza Karcz-ma – ciągnęła spokojnie. – Tam mieszka moja babcia Tuńka, Mieczysława Zabiełło, z domu Skirmunt. Bab-cia zawsze mówiła, że za dawnej Polski długi honorowe płaciło się w dwadzieścia cztery godziny. Albo to, albo trzeba było sobie walić w łeb. No, ewentualnie wyje-chać do Odessy, jak to się w rodzinie zdarzyło. A pan sobie w łeb nie strzela, do Odessy też pan nie jedzie. Jak to tak?

– To może być potraktowane jako zamach na niety-kalność urzędnika państwowego – powiedział mąż stanu. Nie wypadło groźnie, chociaż się starał.

– Co pan? Połamało pana? Niech się pan cieszy swoją nietykalnością. Póki może. Bo jakbym ja postawiła na ty-kalność, to marne pańskie widoki. A ja bardzo grzecznie przypominam panu: jest mi pan winien Gracjana. Mam umowę z podpisem, jakieś pieczęcie też. Robotę zrobi-łam, polski film dostał Złotą Palmę.

– Ale reżyser nie wziął! – wybuchnął prezydent. – Wstyd zamiast narodowej chwały! – dodał głucho, z ja-kąś nutą męskiego szlochu.

Czarna Daniela wzruszyła ramionami.

– To już niech panowie między sobą. Ja za pracę na delegacji dostałam od firmy, szef mnie szanuje. Może ze strachu, ale szanuje mnie to ścierwo. A pan nawet na tym tle wypada blado. Przecież ja Gracjana chcę nie dla siebie.

– Nie wiem, o czym pani mówi.

– Wypada wiedzieć. – W głosie dziewczyny była nie tylko twardość. Była groźba. – Jako ojciec powinien pan wiedzieć, a jako prezydent tym bardziej. Tola Tarasiuk, sąsiadeczka nasza z Wilczej Karczmy pod Czarnosielcem, porządna koleżanka moja, została z dzidziusiem.

– Ale mój Gracjan…

– Dajże skończyć, człowieku! Co jest? Nie przerywa się damie. Wiem, że Gracjan jej nie zna. Ale to pan wysłał chłopaka Toli Tarasiuk na sprzątanie Strychu Świata. W randze sierżanta. Zwierzchnik zbrojnych sił, tak mówią w telewizorze, nie? Tola napisała sierżantowi, że jest w ciąży. A drugi list, że urodziła się dziewczynka. Ten drugi list włożyli chłopakowi do blaszanej trumny. Oni ze ślubem nie zdążyli, więc jest teraz bez renty, na zasiłku. Nawet orzełka z czapki nie dostała. Dziecko do mojej babci przynosi, u kłusowników pracuje, w wędzarni.

– Ale co Gracjan… – ze zduszonym jękiem wyrzucił z siebie prezydent. Był uczuciowy, więc na myśl o wdowie po polskim żołnierzu pracującej dla przestępców łzy zakręciły mu się w oczach.

– Chwila, moment, bez nerwów – spokojnie mówiła Daniela. Doszli do mostka nad potokiem płynącym od Doliny Filipka, stanęli. Popatrzyli ku skalnym zerwom Ganku i Młynarza, nad którymi rozgrywało się misterium mgły i słońca. – Gracjan Toli nie zna. Ale Tola Gracjana pokochała. Ma u siebie całą ścianę wycinków o nim, a to na motorze, a to w bolidzie formuły jeden, a to na plaży. Co te kolorowe magazyny o nim napiszą, Tola moja wszystko na pamięć zna. Wyczai każdego njusa. Gracjanek to, Gracjanek tamto… On to jeszcze gówniarz, rozumiemy się? Życiowo jest sto kilometrów za

Tolą Tarasiuk. Nie wart jej, kropka. Ona jednak zaryzykuje. Odwagi, ojcze. Wszystko się ułoży. Pan spłaci dług wobec mnie, a Polska spłaci dług wobec Toli z Wilczej Karczmy. Jedzie pan jutro na dożynki? Niech pan tylko weźmie Gracjana ze sobą. Niech on jutro nie startuje do wyścigu ulicznego w Tarnowskich Górach. Bardzo ryzykowne. Z naciskiem powtarzam: bardzo ryzykowne, jeśli tam wsiądzie do samochodu.

Prezydent właśnie układał w myśli stanowcze zdanie o groźbie karalnej, kiedy uświadomił sobie, że stoi sam na bielonym mostku, sam w strudze zimnego, krystalicznie czystego powietrza. Duło od wierchów. „Odwagi, ojcze", kołatało mu w głowie. Nie lubił tych ryzykanckich sportów Gracjana, a do tego na biurku miał stosy doniesień o korupcji w rozmaitych wyścigach. Dla wygranej nie cofano się przed niczym. Bam-buch. Trach! Otarł się o niego potężny kształt rozpędzony w skoku. Ktoś przesadził barierkę mostu, z trzaskiem i chlupotem wylądował w sucharach, koźdrakach, patykach naniesionych przez nurt pod mostkiem. Ten ktoś błyskawicznie wczołgał się w rurę przepustu, tam, w zielonkawym cieniu, mignęły tylko nogawki treningowych spodni, włochata łyda i podeszwy butów biegowych ekskluzywnej marki – dokładnie takich samych jak te, które prezydent miał na nogach. Wystarczył ten błysk, aby uprzytomnił sobie, że to nie zamach, że ten skok był realizacją podstawowej reguły operacyjnej posługiwania się sobowtórem – nie może być taki razem z oryginałem w zasięgu wzroku potencjalnych obserwatorów. Nigdy dłużej razem niż setne sekundy. W takim razie…

Nie mylił się. Klika kroków dalej w dół szosy stała już pancerna limuzyna. Sekretarz wysiadł, ruszył w stronę swojego szefa i zatrzymał się w pełnej szacunku odległości.

– Tak? – powiedział prezydent i rozejrzał się jeszcze. Sekretarz podszedł bliżej.

– Zamykamy operację z sobowtórem, prawda? – spytał szeptem. I moment milczenia wziął pewnie za potwierdzenie, bo dodał. – Zabiorą go stąd po zmroku. W Nowym Sączu czekają nas organizatorzy dożynek. Potwierdzić, że będziemy za pół godziny?

Prezydent zerknął na zegarek.

– Za dwadzieścia sześć minut. Chciałem teraz przejrzeć proponowany program. Plus szklanka niegazowanej.

„Odwagi, ojcze", powtórzył bezgłośnie i jeszcze raz zmierzył się wzrokiem z odwiecznym poematem grani i urwisk. Już tam śnieg… Boże, czas leci! Usiadł w aucie, wziął na kolana podane mu przez sekretarza papiery. Wiedział, że powinien zapytać, jak doszło do użycia sobowtóra. Wiedział, że nie może zadać tego pytania, bo jedyną osobą, która mogła taką operację nakazać, był on sam. Albo jego sobowtór…

*

Blandi pierwszy raz odwiedziła podmiejską rezydencję Harszida Ben Alego – Leila zaprosiła ją tam, aby mogły odpocząć, pływając i plotkując. Basen w pawilonie haremowym Harszida Ben Alego mieścił się w rotundzie z witrażową kopułą podpartą wieńcem porfirowych kolumn o palmokształtnych kapitelach. Stamtąd przechodziło się do wysoko sklepionego hallu, gdzie stały pufy i otomany kryte białą i złocistą skórą. Wielką jego część zajmowała woliera, w której pośród zgiełku tukanów i papug królowała biała czapla. Z hallu można było iść dalej, wybierając jeden z trzech portyków. Lewy prowadził ku marmurowym schodom, po których wchodziło się do łaźni parowej. W prawo było wyjście na taras, w połowie osłonięty śnieżnobiałym jedwabnym pawilonem, skąd był widok na ogrody różane, a za nimi pasmo gór Frusz. Środkowy portyk stanowił kopię wejścia do czytelni Biblioteki Kongresu w Waszyngtonie i prowadził do palarni. Leila zatrzymała się na progu i wyjaśniła, że kobiety nigdy nie miały tu wstępu, nawet teraz, gdy oficjalnym i formalnym wyborem elit była monogamia, a o możliwości haremowego modelu nie wspominało się już w salonach. Poszły więc na taras, gdzie na niskim stole w cieniu pawilonu służące przygotowały tace słodyczy i owoców, oraz dzbany mrożonej orszady.

Pan domu z bratankiem, Zucharem Ben Alim, obydwaj ubrani w białe dżellaby i miękkie pantofle, słuchali muzyki w palarni. Było to przestronne pomieszczenie, pośrodku którego stał stary palisandrowy stół bilardowy, a w niszach pod oknami stoliki do tryktraka i madżonga. Pod ścianami biegły półki, leżało na nich parę europejskich książek, postrzępione egzemplarze czasopism o hodowli koni, łowiectwie i różnego rodzaju kolekcjonerstwie. Jedyną ozdobą wnętrza były cztery perskie lampy na postumentach z kutego srebra. Muzyka dobiegała znikąd, wyrafinowana aparatura kwadrofoniczna napełniała powietrze dźwiękami w sposób tak naturalny, że słuchający mieli poczucie zanurzenia, przeniknięcia, zjednoczenia się z kadencjami głosów.

Gdy ucichła Mozartowska uwertura do *Idomeneusza, króla Krety*, Harszid klasnął w dłonie i służący wnieśli mosiężną tacę pełną gorącego piasku. Tkwiły w nim czarki z kawą.

Zuchar Ben Ali starannie wybrał naczynie i umoczył wargi w gorącym słodkim naparze.

– To nie był wprawdzie *Czarodziejski flet* w wykonaniu Filadelfijczyków, ale cieszę się, że mnie namówiłeś na wysłuchanie tego nagrania – zwrócił się do stryja. – Z każdym kolejnym taktem potwierdzało się to, co już odkrywałem stopniowo, słuchając kwartetów smyczkowych Mozarta. Teraz już jestem pewny. Coś zadziwiającego. Mozart to geniusz bardziej malarski niż muzyczny. Przecież to się czuje wyraźnie, te nuty jak farby prosto z tuby, po nich złamane kolory, rozbielenia, ostry rysunek linii melodycznej przeciwstawiony plamom wybrzmień. Fraza wynika z frazy z logiką koloru. Wejścia linii melodycznych niczym pełne pasji uderzenia pędzla. I faktury jakby wyraźnie modelowane szpachlą. On tak prowadzi moją uwagę, moje słyszenie, jak kwadrat płótna wielkiego mistrza rządzi moim wzrokiem, moim czytaniem płaszczyzny. I dur współgrające z moll jak ciepłe i chłodne barwy. Tak jak w tym... – Tu Zuchar odstawił kawę i odrzucając w tył głowę, jak śpiewający derwisz, zanucił gardłowo frazę z jakiegoś kwartetowego andante.

– Może masz rację – odrzekł Harszid, chowając dłonie w obszerne rękawy szaty. – Kiedy mówisz tak o Mozarcie, zmuszasz mnie, abym szukał nowych określeń dla mojego rozumienia Chopina. Mówiłem ci, że czuję, jak przestrzenna jest ta muzyka. Jest. Tylko że to nie przestrzenność budowli czy rzeźby. To płynie, perli się, wybucha krופliście. To jest taneczne do głębi trzewi. Wielowymiarowość, ale w ruchu, tempo rubato, myśl goni emocje, racja wypiętrza się strukturą i zaraz rozsypuje w lament, rozbiegają się smutek i radość, za chwilę czujesz, jak mocno trzymają się za ręce. Rytm przytupuje, melodia wiruje...

Niespodziewanie odezwał się siwy gruby eunuch, Tarik Ben Fath, sługa, który pamiętał jeszcze harem Alego, dziadka Harszida i pradziadka Zuchara. Wsparty na lasce tkwił w niszy przy wejściu na ogrody.

– Jeśli efendi pozwoli i efendi młody pan pozwoli, to dodam, że przy mówieniu o wielu wymiarach muzyki Chopina nie można przemilczeć rozedrganego, gorączkowego erotyzmu. Nokturny szepczą sprośności, mazurki żebrzą o pieszczotę. Efendi Fryderyk miał tu sporo do powiedzenia, a język muzyki był mu posłuszny jak język bajadery posłuszny jest kochankowi. Tempo rubato rusza się niczym biodra tańczącej hurysy, tak to widzę. A jeszcze chciałem dodać, że w trakcie koncertu przybył oficer łącznikowy od pułkownika Abdullacha Mihr-Mirzaniego „Kmicica" i prosi o pilne posłuchanie.

– To dawaj go tu – zakomenderował Harszid, podniósł się i wyprostował. A do bratanka rzucił z krzywym uśmiechem: – Naczytali się Sienkiewicza w wioskach Gór Kebabczerskich. Za szybko to idzie...

Czarnobrody oficer, z wystającym spod turbanu

bandażem pokrytym ciemną zaschłą krwią, przyniósł wieści, które zelektryzowały obydwu melomanów. Okazało się, że w hrabstwie Chanochaczaju wytropiono warowne wioski szejka Alego Saadi-Musthara. Nadarzała się więc okazja, aby ukarać naczelnika nieprzyjaznego klanu, prowodyra terrorystów, a zarazem pozbyć się groźnego konkurenta zaniżającego ceny na rynku bardzo poszukiwanych towarów odurzających.

– Osobiście pokieruję operacją – zadecydował Harszid. – I wypada, abyś mi towarzyszył.

– Muszę wezwać moich ludzi – powiedział Zuchar niepewnie. – Tu mam tylko dwa plutony.

– O dwa za dużo – skwitował Harszid z łagodnym uśmiechem. – Umówiłem helikoptery szturmowe. Od piechoty morskiej weźmiemy cobrę, a od zielonych beretów z Teksasu dwa apacze. Nie zostawimy tam kamienia na kamieniu. Utłuczemy nawet węże w norach i ptaki w górskich gniazdach.

– Zrobisz to z załogą Jankesów?

– Jestem bogaty, ale nie rozrzutny. Po co wynajmować Jankesów? Biorą drogo i są niepewni. Czasem twardziele, a czasem wszystko popsują, bo im się „opcja humanitarna" przypomni.

– To skąd weźmiesz pilotów? Nasi jeszcze niewiele umieją. – Głos Zuchara zdradzał, że niezupełnie ma ochotę towarzyszyć stryjowi.

– Czy nie nauczyłeś się od sojuszników, aby takie pytania zadawać internetowi? Posiedziałem, posurfowałem po ofertach, i mam. Z Europy, tam najtaniej i najemnicy nie boją się żadnej roboty. Znalazłem w Polsce prywatną firmę ochroniarską. Nazywa się to Tarcza i Miecz. Jakby był czas, pokazałbym ci ich filmik demo. Mają tam parę dziewuch-żołnierzy, a jedna czarna pokazuje taką klasę walki, że... Ale zbieraj się, za minutę lecimy.

Minutę później byli obydwaj znowu w palarni, już odmienieni. W strojach górskich partyzantów, z burej surowej wełny, w płaskich czapach, obwieszeni bronią palną i białą, z lornetkami na piersiach. Zuchar dźwigał brezentową torbę z granatami, Harszid maczetę w pochwie z czarnej koźlęcej skóry. Tak weszli do hallu, tak zobaczyły ich Blandi i Leila, które właśnie schodziły z tarasu nad ogrodem różanym.

– Boże, jacy oni piękni! – Blandi aż westchnęła. – Po prostu jak ze sztychu Grottgera.

– Grottger? – Leila zmarszczyła brwi, czarne jak jaskółcze skrzydła. – Czy to amerykański generał?

– Malarz z mojego kraju – odpowiedziała Blandi. – Potem pokażę ci w internecie. Pomachajmy im! Hej! Powodzenia! I wracajcie zdrowi!

Mężczyźni spojrzeli ku nim, a one, świadome, jak powiew od gór Frusz otula ich ciała w mgiełki jedwabiu, jak blask prześwietla biel materiału, obróciły się bardzo powoli i odeszły w stronę tarasu. Pozwoliły, aby oszołomionym mężczyznom snuły się jedwabiste i wietrzne legendy o ciepłej nagości, dławiące pocałunkami obietnice.

Teraz, nasycone przyjemnością zapominania o mężczyznach, znowu usiadły na leżakach pod cieniem palankinu, słuchając, jak miejscowe dziewczęta biegłe w grze na ludowych instrumentach strunowych, borykają się z suitą Straussowskich melodyjek operetkowych. Potem zaprosiły utalentowane dziewczęta na posiłek. Jadły razem z nimi ryż z koźlęciną duszoną w ziołach i gwarzyły o lokalnych nowinach. Kiedy zostały same, Leila spytała Blandi o matkę w Warszawie.

— Nie, ciągle jeszcze nie może zamieszkać z ojcem — odparła Blandi. — Bieduje, wynajęła norę w złej dzielnicy. Sprzedała kolczyki. A co dziwniejsze, zjawił się u niej mój były narzeczony, ten, co tu siedział w areszcie u generała Zakrupy. Ma w końcu pracę ten palant, ale podłą. Roznosi reklamowe ulotki burdeli, wtyka je za wycieraczki aut w śródmieściu. Ja już nie czuję do niego nic, ale ta praca mnie wścieka. Jak tylko matka założy firmę, to go weźmie. Byle jaką robotę niech da, ale nie coś takiego...

Blandi umilkła, sącząc kruszon przez słomkę. Czy nie powiedziała za wiele? Nawet tu, w haremie, ściany mają uszy. Matka musi założyć te firmy. Jakie? Wszyscy bankrutują, na giełdzie krach goni krach, więc nagła przedsiębiorczość będzie sama w sobie podejrzana. Czyli najlepiej kupić jakiego bankruta. Kupić przykrywkę, byle spółkę z o.o. Za co kupić, kiedy sprzedane kolczyki poszły na kartofle i słoninę?

— A ta dama z Francji przyjeżdża? — Leila przerwała pasmo jej niedobrych myśli. — Nazywa się Fatima Muzari, to nie jest prawdziwa Francuzka?

— Na zdjęciu wyglądała jak Francuzka — odpowiedziała Blandi, a w jej głosie nie było zachwytu. — Cieszę się, że tu będzie, bo przyhamuje trochę to, co ja za bardzo rozpędziłam. Jest pierwszą w historii kobietą ulemem.

Leila roześmiała się szczerze.

– Tak mówisz, jakby przyjeżdżała pierwsza w historii oślica, która jest palmą daktylową. To absolutnie wykluczone. Ulem to jest właśnie ktoś, kto wyjaśnia szariat i strzeże szariatu. Pilnuje, aby kobieta była na swoim miejscu. Więc kobieta nie może być ulemem, jak kwadrat nie może być trójkątny.

– Może, nie znam się na tym – odparła Blandi, wypuczając niechętnie wargi. – Już mnie ona zmęczyła, a jeszcze jej nie widziałam. Przysłała tyle listów z wyjaśnieniami, kopie dyplomów, rekomendacje, świadectwa. Uczyła się w szkołach koranicznych w różnych egzotycznych krajach, skończyła antropologię na Sorbonie, zrobiła doktorat z teologii genderowej w Sztokholmie. Książki jakieś wydała. Feministki budują tu meczet, zupełnie retro. Harmonię forsy na to wyłożyły. Jak taka mądra, to może się przyda, bo robi się niewesoło. Popływamy jeszcze?

Pływanie w długiej białej koszuli nie było specjalnie wygodne, ale Blandi czuła, że woli pływać nawet tak, niż rozmawiać o feministkach i kobietach sprawujących funkcje duchowne. Sięgnęła po garść daktyli, zagryzła orzechami i odpędziła myśl o nadwadze. Dwadzieścia basenów delfinem i spali te kalorie.

*

Generał Zakrupa rozsiadł się wygodnie w fotelu klubowym i sięgnął do wiaderka z kostkami lodu po puszkę krajowego piwa. Czuł się świątecznie. Rzadko zdarzało się, aby obraz z warszawskiej telewizji był tak ostry i stabilny. A do tego właśnie zaczynała się transmisja z uroczystości dożynkowych. Lubił święta, defilady, ceremonialne zmiany warty. Lubił poczty sztandarowe, delegacje w strojach regionalnych, salwy honorowe, cheerleaderki i salony samochodowe. Nie lubił, kiedy bezczelny prezenterględzi za dużo. A ten właśnie gadał i gadał. Uśmiechając się przymilnie, klarował, dlaczego uroczystości niespodziewanie przeniesiono ze Spały do Spiszu.

O, w końcu jest prezydent. Zdrówko, panie prezydencie! Pięknie go witają!

– Patrzaj pan, kapitanie, jak witają prezydenta! – zwrócił się generał do szefa wywiadu, który z minutę wcześniej wsunął się jak cień.

Generał gestem zaprosił szczupłego kapitana, aby usiadł. Podał mu puszkę piwa.

– Kto wita? – spytał uprzejmie szef wywiadu.

– Chyba jakieś szlachcice, bo w tych, w kontuszach. Albo to aktorzy za szlachciców zrobieni. Patrz pan, jaki bochen! Z dziwnej jakieś wioski... Wilcza Karczma! Chlebuś pewnie na całą kompanię! A górali puszczają z ciupagami? Tak blisko? Czy to bezpiecznie?

– To nie górale – odrzekł kapitan. – To nasi, przebrani. O, majorowi Puzydle wąs się ochrzania! Nie dokleił, bo na cyku. A ciupagi mają atrapne, z plastiku. Bezpieczniej, nie? Ten młody cywil przy prezydencie to kto będzie?

Młody człowiek, ostrzyżony na jeża, stał za prezydentem, łypał ocami na lewo i prawo i przestępował z nogi na nogę. Można by go wziąć za typa z ochrony, ale nie miał słuchawki w uchu i był mniej solidnej budowy. Generał przypomniał sobie, kto to.

– Jak to kto? Młodszy syn, co się na formule

ściga! – wyjaśnił z piwną pewnością siebie. – Jak do nas na poświęcenie sztandarów przyjechał z ojcem, to chudy był, a teraz jeszcze schudł. Gracjan... O, ta z delegacji, ładna, luksus kobitka, kwiatek mu daje. Przemówienia będą. Myślałem, że tańce ludowe najpierw. Coś się długo całują...

– No właśnie – podjął skwapliwie kapitan. – Przemówień nie będziemy słuchali, bo to znamy. A ja mam tu teraz paru oficerów, bardzo by chcieli spotkać się z panem generałem, tak nie całkiem na drodze służbowej. Jest kilku z sojuszniczej bazy, jest nawet brygadier Larkin od Brytyjczyków. No i nasi. Mała chwila, tam skończyli się całować, ale przemówienia potrwają. Zeszlibyśmy do kasyna?

Jeszcze na schodach kapitan zaczął przygotowywać generała do spotkania. Przypominał, że zmiany kulturowe zachwiały tryb realizacji misji porządkowo-pokojowej. Nowe modele monogamicznej rodziny powodowały niekontrolowany rozwój zakonów żeńskich, a te wykazywały się często nadmierną i chaotyczną aktywnością. Na dużych obszarach znikały objawy zbrojnego terroryzmu, a w jego miejsce pojawiały się koła gospodyń wiejskich, zespoły chóralne i kluby haftu regionalnego. Oczywiście róże Żywego Różańca w każdej osadzie. Stwierdzono wypadki, że zaprawieni w walkach, słynący z okrucieństwa dowódcy band bojowników przyjmowali posady kościelnych, jechali do Europy kształcić się na organistów czy zakładali sklepy z bielizną damską lub dewocjonaliami. Widywano ich niosących baldachim podczas procesji. Spod komży wyłaniał się porządnie zawiązany krawat. Na to była dokumentacja foto.

Kiedy weszli do sali klubowej kasyna oficerskiego, brygadier Larkin pokazywał właśnie film z podłączonego do rzutnika notebooka.

– Nie przeszkadzajcie sobie, panowie, spocznij! – rzucił zamiast powitania Zakrupa. – Co to jest?

– Seria zdjęć lotniczych z września – odpowiedział porucznik w mundurze komandosów gwardii siedzący z laptopem na kolanach. – Tu niby ma być widać, jak burzliwe przemiany religijne przesiąkają na terytoria plemienne w ościennych krajach. To taśmy z doliny Frusz--Nahr, następne z rajdu w góry Frusz-Har. Bezzałogowe samoloty zwiadowcze sfotografowały sytuacje, które analitycy uznali za nabożeństwa majowe. We wrześniu, nie dziwi to panów? Właśnie w paśmie Har zatrzymano na granicy mudżahedinów z transportem Biblii.

Automatycznie podniosły się zasłony w oknach klubu, generał wymienił uściski dłoni z kilkoma wyższymi rangą oficerami. Przez przyżółcone firany wlało się ostre światło popołudnia. Teraz bystre oczy Zakrupy wyraźniej dostrzegały tu i tam sygnały rozprzężenia. Guzik przy kieszeni niedopięty. Do munduru cywilna biała koszula ze spinkami z masywnego złota w mankietach. Żółte sznurowadło w brązowym buciku. Fryzura raczej modna niż schludna, po co te podgolone skronie i czub stawiany na piankę? Zresztą i klubowe wnętrze szeptało te same słowa ostrzeżenia – plamy na obrusach, zapuszczony parkiet, brudne szyby, zakurzone serwantki, poszczerbione karafki. Zgnilizna. Znał to z historii wojen, z Clausewitza i Sun Zi. Kiedy nie leje się krew, kiedy opadają dymy walki, wojo zamienia się bandę osowiałych leniów.

To, co widział, musiał też usłyszeć. Mają raty do spłacenia, a robota im się kończy. Min jak na lekarstwo, więc saperzy wysprzątali nawet górskie bezdroża i kręcą nosem, bo pędzi się ich do usuwania wraków z poboczy. Nawet szeregowi w magazynach amunicji czują to samo co dowódcy. Ich obecność na Strychu Świata staje się zbędna. Wściekłość i żal. Ludność nie stanęła na wysokości zadania. Dawni uczniowie szkół koranicznych rozprawiają w pubach o okręgach jednomandatowych i demokracji bezpośredniej. Pisma z gołymi panienkami na każdym dworcu autobusowym. Biura podróży zachęcają bogatszych do wyjazdów na Ibizę, organizują dla wieśniaków i rzemiechów pielgrzymki do miejsc świętych i wycieczki na karnawał w Rio.

Generał słuchał, notował. Piwo wywietrzało mu z głowy, wiedział, że jako doświadczony dowódca musi teraz przywrócić dyscyplinę i pokazać perspektywę zwycięstwa. Złapać sytuację żelazną garścią. Wiedział, że nie powinien ani słowem wspomnieć o spotkaniu z poprzedniego dnia, kiedy to musiał stawić czoła delegacji przemysłowców i handlowców z Ameryki i Europy. Byli jeszcze bardziej rozwścieczeni niż ci biedni oficerowie tutaj. Zachwiał się ich etos producentów broni. Mówili o misji, o wspólnocie cywilizacji. Nie wolno anulować zamówień! – to powtarzali jak zbawienną mantrę. Mówili, że gotowi są w ostateczności użyć argumentów nadzwyczajnych. Wiedział, śniło im się inne dowództwo. Pukną

Zakrupę i będzie dobrze, co? Kogo wezmą? Dlatego nie okazał im słabości. I teraz też nie okaże.

– Panowie oficerowie! – powiedział takim głosem, że poderwało ich na baczność. – Pokazujecie tu, do starej nędzy, jakieś obrazki lotnicze. Latają wam te zabaweczki, te drony pieprzone, i przywożą obrazki. Po co mi one? Jakbym nie wiedział. To wy nie wiecie, nawet koledzy ze zwiadu, nawet brygadier Larkin nie wie! Źle jest.

Zobaczył, jak tłumacz walnął Larkinowi do ucha to *Very bad!*, aż Angol przysiadł.

– I będzie gorzej – dodał mocno Zakrupa. Czuł, że wzniósł się nad tą gromadą mięczaków, niczym lew nad spłoszonymi antylopami. – Jak się nie zakrzątniemy, będzie gorzej. Musimy…

W tej chwili stanął w drzwiach amerykański komandos i wyładował serię z MG w sufit.

– Pomarańczowy alert! – wrzasnął. – Padnij!

Runęli wszyscy, gdzie stali. Tylko lew, tylko nasz Zakrupa nie zadrżał. Podszedł do komandosa, wyjął mu broń z ręki.

– *What's the matter?* – spytał lodowato. – A potem poznał, że to Leończuk z Chicago, więc dorzucił cieplej: – Porąbało cię, synek? Co się wyrabia?

Synek, czyli Leończuk Majkel, podrapał się w głowę pod hełmem.

– Przez tę waszą Prefektę jesteśmy trzy helikoptery szturmowe do tyłu. Cobra i dwa apacze – powiedział z chłopięcym żalem w głosie. Jakby przedszkolanka zabrała mu trzy ulubione zabawki. – Pożyczyliśmy je Harszidowi, bo był potrzebowski, musiał zrobić kipisz w jednej wiosce w hrabstwie Chanochaczaju. Ale tam mu się pofajtało. Pofraternizowali się na chama wszyscy ze wszystkimi, bo trafili na odpust w miejscowej kapliczce. Teraz każą odkupić fanty, a liczą drogo, bo kościół budują. Wiocha na ful. A Harszida i jego bratanka zamknęli na poczcie, bo nie mają jeszcze aresztu. Lepiej niech pan generał szybko ich wykupi, bo proces im szykują. Za chuligaństwo i plugawą mowę posiedzą tydzień, dwa, ale jak im na wniosek proboszcza doczepią obrazę Koranu, to mogą dwa lata jak dla brata.

– Dobra, poproszę siostrę przełożoną, żeby to jakoś przyklepała – odrzekl zasępiony generał Zakrupa. – A ty się, Leończuk, nie mieszaj w politykę. Wiemy, że masz swój handel, więc nie przesadzaj. Ty nie jesteś rent-a-car dla armijnych helikopterów. Jak chcesz wrócić żywy do swojej masarni w Chicago, uważaj na zakrętach, dobrze? Zajęli ci helikoptery jak krowy, co poszły w szkodę i oziminą się nafutrowały? No to płać, byku krasy, i nie rób dintojry w kasynie panów oficerów.

– Ale… – zaczął żołnierz sojuszniczy i nie zdążył nic dodać.

Zakrupa powalił go uderzeniem kolby jego własnego MG i z klęcznej pozycji strzeleckiej wypaprószył resztę magazynku w prześwit nad schodami.

– Na ziemię! Czołganiem do piwnic! – wrzasnął. – Alarm czerwony!

Niebo nad Dżamijabadem pękło jak arbuz rozjechany przez ciężarówkę, smolisty dym rozlał się nad dachami. Ogień błyskał nad zabudowaniami klasztorku, szpitalikiem i ochronką. „Nareszcie coś się dzieje – pomyślał generał Zakrupa. – Byle to nie była jakaś bzdura, jak z tą pastą do podłóg, co się zapaliła siostrze Mirandzie w zeszłym tygodniu. Byle to był kaliber jak trzeba…”.

W tej chwili odruchowo sięgnął po kolejny magazynek do MG, podany mu przez Leończuka. Szyby osypały się na nich brzęczącym konfetti. Przez plac zmiany wart pędzili ku nim ludzie z automatami w rękach, strzelali w biegu, niecelnie. Nasi, Europejczycy, w wyczyszczonych do połysku półbutach i dobrze skrojonych garniturach.

– Dosyć tego biegania po moim podwórku – mruknął Zakrupa i pogardliwie strzepnął z rękawa szklane drzazgi.

Przymierzył się i puścił serię na beton drogi czołgowej. Poszły iskry, rykoszety podcięły nogi napastnikom. Pełzali jak rozjechane kundle, odrzucali broń od siebie. Pozostali – ledwie pięciu czy siedmiu – zawrócili i w popłochu czmychali.

*

– Niełatwo cię było znaleźć – powiedziała do Blandi szczupła czterdziestolatka w białych dżinsach i czarnym połyskliwym topie.

Stanęła w drzwiach meliny, króciutko przystrzyżona, w uszach połyskiwały kolczki łańcuszki. Miała wyrazistą twarz o bystrych ciemnych oczach, ironiczny uśmiech.

– Jak znalazłaś, to wejdź – odezwała się Blandi. – Ale jak chcesz rozmawiać, idziesz ze mną. Poniesiesz?

– Co to? – niepewnie spytała przybyła.

Blandi bez słowa podała jej parcianą torbę sanitariuszki na drelichowej szlei, a sama zrzuciła szlafroczek i na bieliznę wciągnęła habit, zamieniając się w siostrę

Perfektę. Potem wzięła drugą torbę i walizkę z aparatem do reanimacji. Do podziemi klasztorku, gdzie leżeli ranni, było blisko, ale po drodze powiedziały sobie sporo.

Francuska pisarka, intelektualistka, Simona de la Fosse, tylko w pracy, tylko jako duszpastuszka, nazywała się madame Fatima Muzari. Przyznała się, że prywatnie jest ateistką, ale w pracy musiała zostać postępową lewicową muzułmanką. Komputerowa służba europejskiego systemu walki z bezrobociem kobiet oceniła zdalnie jej psychozdolności i wykształcenie i wypluła skierowanie do takiej roboty. To dlatego do niedawna piastowała Fatima urząd wielkiego muftiego Paryża. Miała swój sekretariat, meczet i minaret tuż obok wieży Eiffla. Teraz, jako działaczka Światowego Naukowego Neofeminizmu, świadomie udała się na misję. I tylko do pracy przebierała się za ajatollaha czy imama. Na Strychu Świata od samego początku natrafiła na trudności. Udało się jej wprawdzie znaleźć garstkę tych, co się nie poddawali ani chrystianizacji, ani westernizacji, garstkę katakumbowych wiernych, ale właśnie ci pogonili jej kota. W miejscowym podziemnym meczecie nie dopuszczono jej do głosu, bo przyszedł donos z Paryża, że jest sunnitką.

Szły, gadając o tym wszystkim, przez puste ulice, w zmierzchu, kiedy od strony bazy Wesoły Roger znów posypały się strzały, brzęknęła wybita szyba. Blisko, nad głowami.

– Spoko, Fatima. To już tylko wstrząsy wtórne – powiedziała Perfekta. – Przycupnijmy, bo mogą nas skaleczyć. Jak jest za długo cisza, czasem tym biednym chłopaczkom nerwy puszczają.

Zatrzymały się we wnęce banku na Avenue Hollywood, naprzeciwko piwiarni U Starego Szwejka. Perfekta z prawdziwym zainteresowaniem obejrzała zdjęcia Fatimy-Simony z pracy i wakacji. Meczet tuż przy wieży Eiffla był imponujący, Fatima w szatach prezentowała się dobrze. Mniej dobrze na plaży w Saint-Tropez, ale tam za to był luz i impreza.

– Tam miałaś dobrze, Simona, praca i wczasy, jak za dawnych czasów. I czego tu szukasz?

– Sprawiedliwości i praw człowieka! – twardo odparła Simona. Rozmawiały po francusku, więc zabrzmiało to jak okrzyk spod gilotyny. – Przyjechałam, bo postęp wymaga zatrzymania chrystianizacji Strychu Świata. Ty nie widzisz, że to, co się tu dzieje, to jest czkawka po kolonializmie? Że to czystej wody refluks dziejów i agresja ideologiczna? Mogłaś to sobie robić w dziewiętnastym wieku, ale dziś? To się nie zgadza z tolerancyjną tradycją Europy, to…

– Ale czekaj, Simona. *Fraternité, Liberté, Égalité, Merde!* Odwracasz kota ogonem. Czy ja latałam za Harszidem, czy ja mu kupowałam róże, czy ja mu obiecywałam małżeństwo? Ja mówiłam „nie". Gdzie tu agresja, laleczko? Czekaj! Matuchna Plusquamperfekta rozkładała ręce, mówiła raz i drugi, że nie ma wpływu na zamiary Ducha Świętego, ale też powtarzała: nie za szybko, moja rybko. Przecież parę miesięcy temu wywaliła mnie ze zgromadzenia, porzuciła w Bangkoku jak stary kapeć. Miałam powody, żeby wrócić, i wróciłam, jak stary bumerang. Ja tu już nic nie chrystianizuję, bo to się wymyka spod kontroli. Zgadzam się, to trzeba przyhamować, bo się robi, widzisz co.

Jakby dla zaakcentowania tego „co", tuż obok nich zwaliła się na jezdnię konstrukcja z rur i tektury. To runął, trafiony zabłąkaną rakietą Sting, billboard przedstawiający lokalną rodzinę zachwyconą nabyciem bielizny z polskiego lnu. Teraz rozciągnięte na asfalcie uśmiechy miały nieco szyderczy wyraz.

Pani de la Fosse odetchnęła parę razy głęboko, otrząsnęła z głowy okruchy tynku i oznajmiła, że chce widzieć się z Harszidem. I Perfekta-Blandi musi jej to załatwić.

– Masz to jak w banku, Simona – słodko odpowiedziała zakonnica i pomyślała: „Ale nie jesteś w jego typie, laleczko".

*

W podziemnym schronie brakło łóżek dla rannych. Leżeli na materacach, niektórzy wprost na rozłożonych na ziemi matach. Dużo krwi, nie było czasu zmyć podłogi. Jedni już operowani, lżej rąbnięci – w kolejce. To byli wysportowani, dobrze odżywieni Europejczycy w średnim wieku, a reprezentowali co najmniej siedem rozmaitych nacji. Garnitury i buty najlepszych marek. Przeważnie podziurawione nie do naprawy.

Siostra Misteria, która po mistrzowsku opanowała unikanie zbędnych pytań w kontaktach z Perfektą, przywitała ją cieniem uśmiechu, a ekscentrycznej cudzoziemce kiwnęła głową, podnosząc w zdziwieniu brwi. Ta niosła bandaże i lekarstwa i należało ją tolerować. Przydały się obydwie, bo oprócz Misterii był tu tylko młody lekarz wojskowy i nieco nietrzeźwy ratownik medyczny w stopniu starszego szeregowego. Całą noc trwały operacje, kroplówki, zakładanie opatrunków, reanimacje.

Perfekta jak dobry duszek przebiegała od jednego do drugiego rannego, tu wytarła pot z czoła, tu zmieniła butelkę kroplówki, ówdzie tylko poprawiła poduszkę. Wszędzie jej uśmiech koił ból, uspokajał łomotanie serca, przynosił nadzieję. Dotyk jej delikatnych palców przenikał nasiąkające krwią opatrunki, zdało się, że tamował broczenie. Zmęczona madame de la Fosse zasnęła w kącie, z ostrzyżonym łebkiem wspartym o torbę sanitariuszki. A siostra Perfekta czuwała, pracowała. Szeptała coś, nuciła i podtrzymując bezwładne męskie łby, podawała szklanki z wodą.

Rosła kalina z liściem szerokim..., podśpiewywała półgłosem, pojąc najmłodszego, ładnego barczystego blondyna o perkatym nosie, mocno zarysowanych kościach policzkowych i nieco skośnych oczach. Zdawał się półprzytomny, ale niespodziewanie jego wargi się poruszyły.

– Niech siostra zejdzie z linii strzału, bo Osip siostrę kropnie – szepnął po rosyjsku, z akcentem z odeskiej Mołdawianki.

– Spokojnie, Kola – odpowiedziała również szeptem. – Odebrałam mu zabawkę. Ale domyślam się, że o mnie szło.

– Ja nic nie wiem.

Wiedział i inni też coś tam wiedzieli. Noc długa, słowo do słowa, z napomknień, jęków, majaczeń Blandi odtworzyła w zarysach konspirację i wynikłą z niej awanturę. Było jakieś porozumienie na szczycie – wojskowi sztabowcy plus zbrojeniówka. Wynajęli w Europie ekipę świetnych zawodowych morderców. Przylecieli i rozpoznanie mieli gotowe, ci z wywiadu zapewnili logistykę. Nawet nie wzięli drogo. Analitycy ustalili, że skoro siostry mówią, że Perfekty już u nich nie ma, to znaczy, że jest, ale schowana. Chłopaki z wywiadu musiały się jednak połaszczyć na kasę, bo te same koordynaty sprzedali zabójcom z kartelu narkotykowego, którzy też mieli zlecenie. To sprawiło, że dwie grupy, z dwu różnych lotów czarterowych, wylądowały prawie równocześnie i najpierw postrzelały się, potem porozumiały jakoś i razem zaczęły zmasowany atak na dom zakonny. Tu jednak logika rekonstruowanej opowieści załamywała się. Bo przecież nie parę zakonnic stawiło czoła napastnikom. Obudziły się, jak było już po wszystkim. Ktoś wcześniej wziął bandy zabójców w krzyżowy ogień, przepędził ich. Uciekali przez teren bazy, na placu zmiany warty ktoś inny nakrył ich ogniem z okien kasyna – najpaskudniejsze rany były od rykoszetów właśnie i okruchów betonu.

Aż do świtu madame Simona drzemała zmordowana, a siostra Perfekta cierpliwie opiekowała się ofiarami strzelaniny. Gdy już Perfekta pojęła, że więcej nie wyciągnie z nich ani odłamków, ani informacji, na kolanach wyszorowała piwniczną podłogę, ułożyła na stercie kartonów półprzytomną ze znużenia Francuzkę, a sama usiadła u wezgłowia blondyna z Odessy. Teraz nie mogła się już powstrzymać. Kiedy zobaczyła, że się poruszył, postanowiła wyrąbać mu to, co o nim myślała, powiedzieć mu prosto w jego durne błękitne oczy to, co usłyszało już paru przed nim. Gorzkie wymówki, ale płynące z serca.

– Jak ci nie wstyd, Kolka, zabijać za pieniądze – szepnęła surowo. – Tyle jest lepszej pracy!

A potem miłosiernie położyła mu drobną, wonną dłoń na rozpalone czoło. Ale to czoło nie było już rozpalone. Oczy, które otworzyły się pod niespodziewanie krzaczastymi brwiami, nie były ani błękitne, ani niewinne. Były piwne i przewiercały na wylot.

– Kolka wycofany, maładiec, musieliśmy go realnie uszkodzić, a zachował się pierwsza klasa – powiedział ktoś pod kocem z zasobów Czerwonego Krzyża. – Siostra wybaczy, trochę maskarady tu było. Jakbyśmy nie interweniowali, to wytłukliby was jak kaczki ci najemnicy, gangsterska ich mać. A was, siestra, w pierwszej kolejności. O was szło.

– To ja wiem. A wy kto?

– Ja Iwan Czeremucha, generał lejtnant FSB. Było tu paru moich chłopaków, a zabezpieczał nas briański pułk specnazu z pułkownikiem Kriwogłazem. Rozpoznanie robili ludzie kolegi Skatiejki z GRU, oni też zaprojektowali na otwarcie troszkę pirotechniki. Tak to siostrze w szczegółach opowiadam, żeby siostra wiedziała, że jest bezpieczna. W Moskwie matuszce w ważnych gabinetach zdjęcie siostry zobaczyłem. Kazali kłaniać się, gratulować. Wy, miła nasza, od siedmiu pancernych dywizji lepsza.

– Tak pan sądzi, generale Czeremucha?

– No, jak nie podziwiać? Jak nie gratulować siostrze? To, co wy zrobiła, Anglicy nie mogli ani nasi za sowieckiego czasu, ani Jankesi.

Czeremucha podparł się na łokciu, podniósł trochę. Miał lekko skośne oczy, ale poza tym ciacho. Przystojny czterdziestolatek, zabijaka.

– Jak nie podziwiać – powtórzył. – Przecież Koran od dołu, od miękkiego brzucha, szedł w Azję, aż straszno. Na Kaukaz, gdzie nie spluniesz, wszędzie, mówię. Mułły, imamy, jak u siebie. W Machaczkale, w Dagestanie naszym, na ulicy w kółko tańczą, pytam: co jest? Na twoim grobie tańczymy! Straszno! Jakby tak siostra z Kremla popatrzyła na południe, straszno było, mówię. I na Sybir by przyszli, i na Kazań! Ta obca wiara idzie i ziele ćmiące. Studenty, artystyczna ich mać, zielem się ćmią, wódki nie szanują. A analfabety jak barany, za mułłami. Zatrzymać trzeba! Teraz my ciebie zapraszamy dalej. Przyjedź do Tadżykistanu, blisko masz. Kirgizja na ciebie też czeka, w Turkiestanie przydasz się.

– Ale, ale, panie Czeremucha! – Perfekta postanowiła wymotać się z sieci tego męskiego czaru. – Śmiać mi się chce. Przecież panu wywiad musiał powiedzieć, że ja tu warunkowo i nie ja rozkazuję. A poza tym chyba właśnie za szybko to się potoczyło. Naród nie wskakuje z jednego obyczaju w drugi jak z jednych butów w drugie. Mówię tym młodym miejscowym siostrzyczkom, że przesadzają z nawróceniami. Teraz mamy tu kryzys w szkołach koranicznych, czterech mułłów na jednego studenta. To powoduje rozgoryczenie w szkolnictwie wyznaniowym i wcale się nie dziwię.

– A co tam szkoły! – żachnął się Czeremucha i usiadł na składanym łóżku, barczysty i ogorzały, w skromnym oliwkowym mundurze bez odznaczeń. – Jedne szkoły się

173

zamknie, drugie otworzy. Dasz stypendia, szum ucichnie. Geopolitycznie pomyśl, gołąbko nasza! Zatrzymać trzeba! Przecież póki u nas na czerwonym guziczku leżał palec spokojnego alkoholika, świat był bezpieczny. Ale inne paluchy się dorwały. A wiesz ty, co zrobi palec trzeźwego szaleńca? Co będzie? A gorzej, trzeźwego patrioty? Widzisz! Musimy...

– Gdyby tak z tą geopolityką do siostry Plusquamperfekty... – przerwała mu Perfekta.

– Z kim rozmawiasz po rosyjsku? – spytała Simona, pojawiając się nagle. – Ja też znam język!

Generał Czeremucha wpatrzył się w nią bez uśmiechu. Jak na damę po całonocnej harówce przy rannych i po krótkim śnie na byle jakim legowisku, prezentowała się nieźle. Dyskretny makijaż, fryzura bez zarzutu, przyniosła ze sobą zapach drogich perfum.

– Madame Simona – mruknął generał. – Prawdziwa Francuzka prosto z Paryża. – A wy tu teraz jak dywersantka. Meczet sobie budujecie, co?

– Tak, owszem – odpowiedziała z dumnym uśmiechem Simona, potrząsając klipsami z motywem półksiężyca. Widać było, że Czeremucha zrobił na niej wrażenie. – Miejscowe środowiska feminizmu i lewicy obyczajowej budują meczet nowej generacji. Jeśli skorzystam z ich zaproszenia, zostanę tu imamką.

– Ech, wymyślili lewicę. Imamkę wymyślili... – niechętnie burknął generał. – Wam, madame Simona, pewnie przydałaby się podróż. Taka sugestia nasza: długa podróż.

Wstał, odrzucił koc, sięgnął pod łóżko polowe po pas

z bronią, odszedł parę kroków, obejrzał się, uśmiechnął ciepło, po ojcowsku, zniknął w mroku.

Perfekta starannie złożyła koc, którym był przykryty. Krótka rozmowa, a sporo do przemyślenia. A podróż? To zawsze jest pomysł.

ROZDZIAŁ SIÓDMY

Pieśń spoza gór

Październik srożył się nad Warszawą jesienną pluchą. Igiełki lodowatego deszczu zasnuły kaniony śródmiejskich ulic siwą mgłą, zapędziły ludzi czekających na przystankach w paszcze bram, pod wiatami ścisnęły w przygodne mikrospołeczności. Tam, w gęstej sieci napięć kierunkowych, zazdroszczono sobie wzajem elegancji bądź luzu, bogactwa lub młodości, aryjskiego lub egzotycznego wyglądu, markowych zakupów, poprawnego zgryzu lub falujących loków. A wszystko to w aurze listopadowej wilgoci i podskórnego erotyzmu. Szymon marzył o tym, aby ogrzać się jakoś, aby wplątać się w laokooniczne supły przystanku lub choćby przycupnąć w bramie, musiał jednak jeszcze popracować. Zgrabiałymi rękami wtykał kolejne ulotki za wycieraczki kolejnych aut, a rozebrana na każdej ulotce kokota szczerzyła do niego zęby w drwiącym uśmiechu, wypinała bezwstydnie biust na deszcz, jakby była pod ciepłym prysznicem w swoim buduarze. Nagle poczuł na ramieniu twardy uścisk. Obejrzał się niepewnie i zobaczył wysokiego siwego pana, który nachylił się i bezwiednie chlusnął na niego wodą z ronda szarego borsalino.

– Stop, kawalerze! Znowu i znowu!

– Co znowu? – wystękał nieszczęsny kolporter nierządu.

– Popatrz no, co ty mi dajesz! – spokojnie powiedział stary i spojrzał surowo zza okularów. Miał na sobie jesionkę z samodziału w jodełkę i jedwabny turecki fular zawiązany pod chudą grdyką. Nie zwalniając chwytu, drugą ręką położył teczkę na masce auta, wyjął świstek zza wycieraczki i podsunął Szymonowi ulotkę pod nos. – Co ty mi najlepszego dajesz! Wstyd, kawalerze! Popatrz, jaki tu jest adres usługi! Targówek Przemysłowy! Toż to u diabła na kuliczkach. A weźmy, że starszy człowiek, profesor habilitowany, miałby tę słabostkę i chciałby z usługi skorzystać! I co?

– I co? –jak echo powtórzył stropiony Szymon.

– Tyli świat jechać! Omijać stacje metra w budowie, most zamknięty może. Błądzić gdzie za Wisłę w taką pogodę. I wczoraj ta sama ulotka, przedwczoraj też! Tak cię uczą na uczelni szacunku dla starszych?

– Ja nie studiuję, panie profesorze! – W głosie nieszczęsnego kolportera nierządu był żal i wstyd.

– A to źle bardzo, młody człowieku! – rzucił profesor niby surowo, ale z figlarnym błyskiem w oczach. – Nauka to potęgi klucz! Coś się da zrobić, ale nie na deszczu. Tu, widzisz, jest kafeteria Mokkatastrofa, nie przestraszysz się katastrofy?

– To ja teczkę panu profesorowi poniosę…

*

Jeszcze tego samego dnia, późnym wieczorem, Szymon wstąpił do mieszkanka na Blaszanej. Otworzyła mu Glorenda w burym poncho. Mieszkanie było niedogrzane. Reżyser Rafał Skorecki siedział nad resztką smażonych kartofli. Na głowie miał włóczkową czapkę w rastamańskich kolorach i odpowiednim kształcie.

Glorenda wyjrzała z kuchni na pokój przez okienko w oszklonym przepierzeniu.

– Mam tylko herbatę z suszonych obierków jabłek – powiedziała. – Napijesz się?

– No to pykowo, bo mam coś do herbaty – odrzekł Szymon. Ze swojego nieodłącznego plecaka khaki wyjął dwa zatłuszczone pakuneczki. W jednym był czarny salceson, w drugim trzy kremówki wadowickie. Bułki do salcesonu luzem. Jakieś mnóstwo tych bułek wysypał.

– Co jest, Szymon? Sobota czy urodziny kota? – spytał Rafał i pośpiesznie sięgnął po bułkę. – Obrobiłeś lombard na Stalowej? Co się kroi?

– Tu niech reżyser patrzy!

Szymon znów pogrzebał w plecaku i wyciągnął zielonkawą książeczkę. Pomachał nią trumfalnie, ale nie otwierał, dopóki Glorenda na przyszła ze szklankami, w których jak żmije w chińskiej wódce zwijały się w bladym naparze skórki z jabłek. Zamknęła oczy i z wyrazem upojenia powąchała salceson, kremówki i jeszcze raz salceson.

– A nie powinieneś zanieść tego matce? – spytała z wyraźną nadzieją, że odpowiedź będzie przecząca.

– Matka dziś na nockę robi – odpowiedział hojny

gość. – Ale czeka ją na stole o, taki wał. Krakowska obsuszana. Patrzcie lepiej tu! To jest indeks!

Glorenda sięgnęła po książeczkę. Na zdjęciu Szymon wyglądał równie niemądrze jak w naturze, ale nazwa uczelni była zaskakująca. Wolna Wszechnica Zdrowia im. Prof. Wilczura i Królowej Bony Sforzy. A niżej: Wydział Znachorstwa i Ziołolecznictwa.

– Już wybrałem kierunek – pochwalił się świeżo upieczony student. – Szeptuństwo wędrowne. Jest najmniej zajęć, a za to praktyki terenowe w najpiękniejszych okolicach Europy. Bo Europa za tym stoi.

Dopiero kiedy zjedli bułki z salcesonem i ciastka, dopili jabłeczną lurę do ostatniej kropli, Szymon wprowadził ich w tajemnice tego dnia, zdał sprawę ze spotkania z tajemniczym profesorem w borsalino. Potwierdziło się – Europa stała za tym. Rządcy tej części świata kolejny raz stawili czoła wyzwaniom epoki. Kluczem do zrozumienia były nożyce, które profesor rysował Szymonowi na serwetkach w café Mokkatastrofa.

– Ludzie nie mogą dłużej żyć z nożycami na gardle, te nożyce należy zamknąć jednym ciosem miecza Damoklesa – cytował Szymon wykwintne skróty myślowe swojego dobroczyńcy. – Medycyna robi się coraz bardziej nauką ery kosmicznej, wyrafinowaną i kosztowną, a społeczeństwa nie nadążają. Otwierają się nożyce między kosztami terapii a możliwościami ubezpieczonych. Kolejki do specjalistów stają się dłuższe niż niejedna historia choroby, a terminy wizyt tak odległe, że coraz częściej wyprzedzają je daty na nekrologach. Na pomoc oficjalnej i wysokospecjalistycznej medycynie pilnie musi przyjść powszechna ludowa służba zdrowia oparta na okadzaniu, zamawianiu, wróżeniu z fusów i masażu stóp. Co się w stopach procentowych sprawdziło, sprawdzi się wszędzie tam, gdzie pacjenta przywita biały fartuch znachora czy zielarki, uśmiech, dobre słowo. Trzeba kadr, trzeba kształcić tych, co zrozumieją nowego pacjenta. Nowa medycyna przede wszystkim wysłucha, przytuli bioenergoterapeutycznie każdego i obieca powrót do zdrowia. Tam, gdzie nie dociera zgiełk autostrad i wrzawa giełdy, przechowało się wiele mądrości ludowej, pomocnych przysłów i sposobów stawiania baniek.

– Zaraz, ale ciebie, Szymon, będą tego uczyć za friko?

– Jak za friko? Czesne tysiąc euro za semestr – z dumą pochwalił się student. – Tyle że dostałem stypendium. Oczywiście nie do ręki.

– Rozumiem – powiedziała Glorenda. Jej nozdrza rozszerzyły się, na policzki wypełzł brzoskwiniowy rumieniec. Poczuła, a raczej przeczuła. Była jak tropiący drapieżnik, który zwietrzył zwierzynę. – Rozumiem – powtórzyła. – Stypendium jako kredyt. System australijski.

– Kredyt – potwierdził Szymon. – Ale wypłacany nie w gotówce, tylko w postaci akcji banku pośredniczącego między mną a uczelnią. Dokumenty wypłaty antydatowane o pół roku, aby od razu można było wypłacić kredytobiorcom część dywidendy. Drugą część dostaje uczelnia jako czesne. A trzecią student dobrowolnie wpłaca jako dar na fundację, która prowadzi na rzecz uczelni dochodowe gospodarstwo pomocnicze. W tym wypadku to są Dredy Krajowe, Ośrodek Uzdrowień,

Medycyny Estetycznej, Fryzjerstwa i Imażu. W internecie mamy to jako www.dredynakredyt.pl. Oczywiście jako student będę musiał odpracować miesiąc w tej firmie. Miesiąc za każdy semestr. Mówi pani, że to australijskie?

– Trochę ulepszone – powiedziała Glorenda. – Idź już, Szymon, bo od rana masz studiować. Tak czy nie?

– Tak, na razie praktyka przy dredach. Trochę to znam. Miałem kiedyś na głowie. Pamięta pani z Krakowa?

– Aż za dobrze.

Kiedy zamknęły się drzwi za Szymonem, Glorenda zabrała do kuchni puste szklanki z jabłkowymi obierzynami na dnie. Pomyślała, że niedługo porządna herbata będzie co dzień na stole, jakiś dwucejlonian dadżerlingu czy madrasjan ulungawy. A potem wsunęła głowę w okienko kuchennego przepierzenia.

– Śpi pan już, panie reżyserze?

– Nie śpię, pani dyrektor. Wspominam salceson.

– No, czarny był, panie reżyserze, jest dla pana fucha w tym kolorze. Niech pan poszuka kontaktu z tą pańską znajomą, z Czarną Danielą. I niech pan ją tylko spyta, czy była ostatnio na wschodzie. W górskiej okolicy jakiejś. I tyle.

– Niedużo, pani dyrektor. To ja mówię dobranoc. Coś pani kontenta.

– Dobranoc, panie reżyserze. I ani jednego niepotrzebnego słowa. Rozumiemy się?

*

Przed nadejściem monsunu w całym Dżamijabadzie

odczuwało się radosne podniecenie. Wyznaczono już terminy finałowych rozgrywek Pucharu Gwiazdy Frusz. Na biurko generała Zakrupy raporty o stanie murawy na boisku trafiały z priorytetem spychającym na drugie miejsce dane wywiadu o atakach rakietowych w Dolnym Chanochaczaju.

Blandi parę razy zachodziła do atelier krawieckiego prowadzonego przez Chińczyków, których sama sprowadziła na Strych Świata. Ruch panował tam teraz niebywały, bo potrzeby mundurowe prowincjonalnych elit przemocy ciągle nie były zaspokojone, a zbliżający się sezon rozgrywek polo przyniósł wzrost popytu na eleganckie ubrania w stylu europejskim, stroje spacerowe i sportowe, wieczorowe także. W końcu udało się Blandi zastać małą Li-Tachai i zasiąść z nią na sesję ploteczek przy zielonej herbacie. Nad halą maszyn mieli tam oszkloną kabinę z biurkiem, komputerami i paroma fotelami klubowymi wokół stolika z laki, dla gości. W kąciku ołtarz przodków – papież, Matka Boska i dziadkowie właścicieli, przed nimi smużący się dymek z trociczki.

Po omówieniu spraw mody i giełdy przyszedł czas na drugą filiżankę – bo drugi napar najsmaczniejszy – i na lokalne nowiny. Li oznajmiła, że Simona i generał Zakrupa odwiedzili atelier razem, Simona zamówiła kostium typu safari z ręcznymi haftami, a także dwie suknie koktajlowe, purpurową i piaskową.

– Świetne kolory dla brunetki – wtrąciła Blandi. – Paryski smak!

– Tak, i modele paryskie, na licencji domu Marty

Mrak. Obciążone opłatą licencyjną – dopowiedziała Li ze słodkim uśmiechem. – Generał Zakrupa, jak płacił za to swoją platynową kartą, to się aż krzywił, o tak! – Tu panna Li zmrużyła oczy i zmarszczyła nosek.

Blandi musiała się roześmiać.

– A wiesz, Li… ale nie mów nikomu! Wiesz, słyszałam, jak Simonie wróżono daleką podróż. Może to będzie podróż poślubna.

*

Nie było go i nie było. Powtarzała sobie, że to taki nikt, pół celebryta, pół sublokator. Nie wyrzuciła go dotąd bardziej z lenistwa niż z litości. Nie płaci, bo nie ma. Ona też nie ma, a płaci. Wydaje się jej, że na Blaszanej róg Mydlanej bezpieczniej ze Skoreckim niż bez niego? Tylko się wydaje. Głupio. Jak mogłaby modlić się za tego Rafała, skoro nie modliła się za Blandi. I nie modli. Ona tam, w jakimś piekle azjackiej wojny. Mniejszości etniczne, pola minowe. Ostatnio, kiedy weszła w szyfrowane połączenie przez „piaskownicę", słychać było strzały.

Twórcza depresja? Wypalenie? Na czynsz ten Skorecki nie ma, a płacił psychoterapeutom, nawet psychoanalitykowi. Nie będzie modliła się za Rafała. Niech się o niego martwią te aktorzyce, z którymi mieszkał. Niech się one modlą. Ruda i czarna, pewnie obydwie farbowane. Glorenda wstała z klęczek przed papierowym obrazkiem świętego Antoniego, dumna z tego, że nie modliła się wcale. Nie wyciągnęli z niej ani słowa. Wysunęła notebook ze schowka w pokrowcu laptopa, przyłożyła do ekranu dłonie, dała się papilarnie rozpoznać, wklepała hasło dostępu i czekała na uruchomienie „piaskownicy".

Połączenie zadziałało bez pudła, ale po drugiej stronie nie było Blandi. Kamerka komputera jej córki patrzyła na ciemnawe pomieszczenie, w którym na półkach stały zielone parciane torby z czerwonymi krzyżami, na stole puste puszki po krajowym piwie, obok leżała postrzępiona książka. Na drzwiach kółko do gry w strzałki – w dart – z wyciętą z gazety twarzą w miejscu celu, a niżej plakat: WRÓG PODSUWA NARKOTYK, A TY MASZ WRÓCIĆ ŻYWY.

Glorenda poszła do kuchni, zrobiła sobie herbatę z obierek jabłkowych. Wróciła – co było na ekranie, to jest. Zajrzała do paru miejsc, w których mogła być schowana przed Skoreckim resztka kawy. Nigdzie nic. Ile razy można zalewać wodą stare fusy?

*

Z blasku górskiego słońca w półmrok namiotu kaplicy. Z wiaderkiem wody i szczotkami. Tu walka z piaskiem i kurzem trwała przez okrągły rok. Siostra Perfekta zapaliła światło. Spodziewała się, że będzie pusto, ale zobaczyła drobną zakonnicę klęczącą na klęczniku, nieruchomą, zatopioną w modlitwie. Dalej, między dwoma rzędami ławek, blisko wyjścia, leżał krzyżem barczysty żołnierz. Ten rodzaj pobożności spotkała tu pierwszy raz.

Zmieniła obrus na ołtarzu, sprawdziła świece w świecznikach i ruszyła w stronę zakrystii po odkurzacz. Kiedy mijała zakapturzoną siostrę pochyloną nad modlitewnikiem, usłyszała coś jakby cichy świst, a potem szept:

– Blandi, jest sprawa. Na minutkę.

Odwróciła się i spojrzała w stronę klęczącej.

Zobaczyła błysk wielkich oczu w ciemnej twarzy i nie musiała długo namyślać się nad identyfikacją tej osoby. To była manikiurzystka z Krakowa, czarny anioł ocalenia z katastrofy na ulicy Gontyna. Reżyserka z Burkina Faso, która rozrabiała w Cannes, ciągnęła w górę Rafała Skoreckiego, niewypłacalnego sublokatora – wiedziała to z opowieści mamy, sprawdzała w serwisach filmowych internetu. Czarna Daniela, ostatnia absolwentka Szkoły Wdzięku i Przetrwania.

Perfekta zatrzymała się, słuchając szeptu. Ile w nim było prośby, ile rozkazu?

– Jak się tu uwiniesz, przyleć na parking przy wartowni, tam będzie stał czarny cougar MRAP. Pojedziemy gdzieś, gdzie można pogadać spokojnie. Czekam, siostro przyrodnia.

Opancerzone pojazdy MRAP (Mine Resistant Ambush Protected) były regulaminowo malowane według wzoru maskowania pustynnego. Czarnych nie było. Ale ten nieuzbrojony cougar, raczej grafitowoszary niż czarny, stał ze śladami od strzałów, z jakąś platformą ładunkową z rur, dospawaną niedawno, świecącą łysym metalem. Prymitywna niedoróbka wiejskiego kowala. Ledwie Perfekta się zbliżyła, otworzył się właz po stronie celowniczego. Czarna Daniela, już przebrana w pustynne moro, wciągnęła Blandi do środka. Na miejscu kierowcy siedział barczysty żołnierz, po łysince poznała tego, który krzyżem leżał w namiocie-kaplicy.

– Poznajcie się – powiedziała Daniela. – To Kmicic, czyli Abdullah Mihr-Mirzani, komendant polowy z Górnego Chanochaczaju. Wozi mnie, bo mu się wydaje, że ja jestem jego Oleńką Billewiczówną. Ja i Oleńka! Chyba w negatywie! No co, nie uściskasz siostry?

Perfekta uściskała czarną dziewczynę i poczuła, że ta ma chwyt imadła. Postanowiła, że nie da sobie wleźć na głowę. Nie ulegnie Czarnej Danieli. Wdzięczność za ocalenie w Krakowie, jasne. Ale żadnego rozkazywania. I żadnego nagłego krewniactwa. Od rozkazywania była Plusquamperfekta i szlus. Bo już nie Zakrupa, ten nie.

– Słuchaj, mała, o co chodzi? Ty naprawdę jesteś kuzynka?

– Już mówię – odparła Daniela. – Był taki Pyrski mężem twojej matki? Mój ojciec. Robert Pyrski.

– A twoja mama?

– To długa historia – odpowiedziała szybko Czarna Daniela i popatrzyła spode łba. – Na razie jest sprawa. Można tu gdzieś usiąść, zjeść po naszemu, pogadać spokojnie? Bo ja tu jestem biznesowo, oddawaliśmy zielonym beretom ich apacze, skasowaliśmy jakiś grosz. To już koniec z helikopterami, cobrę piechota morska odkupiła w zeszły piątek. Ale sytuacja zmienia się jak w cyrku.

Blandi zaproponowała Pierogarnię Wadowicką, szwagier Leili był tam szefem kuchni, a protegowany Szoszanny bossem kelnerów. Przez kuchenne drzwi można było wejść do pomieszczeń poza główną salą. Jedzenie dawali przyzwoite, kuchnia kresowa. Kelnereczka z mniejszości narodowej Ziao nakryła im w oddzielonym przepierzeniem pokoiku za barem. Ładnie jej było w stroju z pogórza.

Zamówiły kwaśnicę na żeberku, ruskie i po małym

piwie Jurand. Kmicicowi, który czekał w pojeździe pancernym, posłały placek zbójnicki. Wyglądał na zbója, mimo że czytał *Potop.*

Czarna Daniela próbowała wyjaśnić Blandi swój nowy przydział służbowy – ciągle pozostając pracownicą firmy Tarcza i Miecz, trafiła jako wtyczka informatorka do Damskiej Konnej Orkiestry Reprezentacyjnego Pułku Żandarmerii, od niedawna w składzie garnizonu Wesoły Roger. Po prostu wojsko wyczarterowało ją do tej roboty. Ktoś dyskretny i delikatny musi sprawdzać kontrwywiad.

– Ale do orkiestry? – zdziwiła się Blandi. – To będziesz musiała grać, bo się połapią.

– Jak trzeba, zagram. U nas, we wiosce Wilcza Karczma, grywałam na akordeonie i na burczybasie, sporo po weselach. Tu sprawdziłam, jakie mam obowiązki. Przydzielili mnie do harfy, to duża rzecz. Ale regulamin przewiduje, że można na niej grać, jadąc na koniu, nawet i w galopie. Przejrzałam jednak zasób nutowy i okazało się, że w repertuarze Damskiej Konnej niewiele mają utworów z rozbudowaną partią harfy. Jak dotąd trzymam harfę i uśmiecham się. A wiesz, co powiedział generał tamburmajor, jak mnie przyjmowali do orkiestry?

– Nie wiem. Po co mi to mówisz? I w ogóle skąd mam wiedzieć, że to nie ściema? Mnie mówili: Czarna Daniela kłamie, trzeba czy nie trzeba.

Daniela westchnęła i pomachała przecząco pierogiem nabitym na widelec.

– Jak ściema, skąd! Wyrosłam z tego. Zresztą przeważnie trzeba. A nie chcesz, to koniec rozmowy.

– Mów, nie wściekaj się, mała.

– No tak nawijał. Koledzy! To do nas, że my jak w rodzinie. I dlatego mamy dawać ludziom, a szczególnie naszym krewnym i dobroczyńcom, zatrudnienie. I dlatego, niestety wszakże, trzeba dbać o przestępczość spontaniczną i zorganizowaną, ostatecznie o nieposłuszeństwo obywatelskie i choćby lekkie objawy rozprzężenia. Bo to wszystko, rozumiecie, koledzy, wymaga wzmocnienia kontroli, inspekcji, sił porządkowych, organów ścigania i wymiaru sprawiedliwości. Nie zapominając o zakładach karnych i poprawczych. Ośmieliłam się i: panie generale, przecież wiadomo, że kasy nie ma i bryndza. Skąd kasa na zatrudnianie kuzynów i dobroczyńców? Odpowiedział z woleja. Ten nasz generał tamburmajor, sznury, epolety. Więc mówi tak. Ale powiem wam, koledzy, oczywiście pieniądze na nowe stanowiska pracy i ich wyposażenie, to wszystko trzeba będzie pożyczać od Chińczyków. Pożyczą nam chętnie, bo co mają robić ze swoją nadwyżką handlową, której nie mogą inwestować w nic sensownego. I jasne, koledzy, że wspomaganie sił porządku i organów kontroli jest też z chińskiego punktu widzenia uzasadnione, nieporządek bowiem jest zaraźliwy, a chaos z grubsza odpowiada potrzebom prostych ludzi: każdy porządek stawia im nieznośnie wysokie wymagania. Mając tylu prostych ludzi, Chińczycy muszą dbać o to, aby nie szerzyło się rozgliździajstwo, rozumiecie, koledzy.

– Czekaj, Daniela, ale po co mi te bzdury o Chińczykach. W co oni inwestują, to chyba dobrze wiem.

– Ja tobie, Blandi, zarysowuję tło zdarzeń. Bo zdarzenia przyjdą, chcemy czy nie chcemy. Teraz krótko, czasu brak. Nie mogę dłużej zatrzymywać Kmicica w Dżamijabadzie ze względów plemiennych. Słuchaj, w rodzinie będzie ślub. Kuzynka moja, no, nasza krewna, Tolka Tarasiuk, wychodzi za swojego wymarzonego, za prezydentowicza! No, nie chwalę się, sama jej załatwiłam, była okazja, to ja hap-carap! I w garści! No, nie o tym... Wpadł tu taki mój znajomy z Cannes, Skorecki, u matki twojej mieszka, to wiesz. Obaliliśmy flaszeczkę, pogadali. Smutek. On smutek widzi. Blandi, jak siostrze mówię, trzeba ich rozruszać!

– Kogo? Glorendę?

– Naród! Prezydenta z prezydentowiczem! Coś na wesoło by się przydało. I jest okazja: ślub w rodzinie. Kochana, już się cieszę, robimy zjazd rodzinny. Popchnij to, bo ja... sama widzisz. Już stoi mój Kmicic. Lecę.

Blandi obejrzała się. W drzwiach stanął pułkownik Abdullah Mihr-Mirzani o ksywie „Kmicic". W moro prezentował się nieźle, suchy, barczysty, czarnobrody. W stroju górala z gór Frusz musiał wyglądać jeszcze lepiej.

„A ja nie mam chłopa", pomyślała Blandi i poczuła się trochę siostrą Perfektą, a trochę głupią laską, która się dała omotać i porzucić. I to komu? Szymonowi głupolowi.

*

Finałowy mecz Pucharu Gwiazdy Frusz rozgrywano tydzień później, przy znakomitej pogodzie. Stan trawy na płycie boiska był zachwycający, zakłady stały wysoko, bukmacherzy zbierali obfite żniwo, jak zawsze, gdy szanse drużyn wydają się wyrównane, a za każdą stoją gorące emocje wiernego tłumu. W finale drużyna brytyjskich lotników miała spotkać się z drużyną Pieśń Spoza Gór, przygotowaną przez Zuchara Ben Alego, który najlepsze konie odkupił od swojego stryja Harszida. Blandi przyszła właściwie po to, aby popatrzeć na konie. No i spotkać, kogo się da. Przed rozgrywką pokazano paradę koni, a musiało to potrwać, bo każdy zawodnik prezentował trzy albo cztery wierzchowce. Lotnicy z drużyny Airborne Hero mieli wszyscy znakomite angloaraby kasztanowatego umaszczenia, tylko prowadzący drużynę brygadier Larkin dosiadał izabelowatej klaczy o wspaniałym ogonie i zaplecionej w warkoczyki bardzo jasnej grzywie. Ludzie z drużyny kapitana Zuchara, w olśniewających barwami – purpura, kobaltowy błękit, zieleń morska – tunikach i szarawarach, jechali na bardzo różnych koniach, miejscowego chowu i przywiezionych z daleka, nawet z Baszkirii. Zuchar Ben Ali, na dereszowatym ogierze z gwiazdą na czole, ubrany był na czarno, a na turbanie z kremowego muślinu błyszczał mu widoczny z dala klejnot.

Blandi przyszła na zawody z Leilą i Szoszanną, wszystkie w burkach. Usiadły za plecami Harszida Ben Alego, jak jego trzy pokorne żony, i gawędziły w najlepsze. Nie wywoływało to większego wrażenia – ostatnie lata przewaliły się takimi wichrami zamętu, kurzawami przemian, że normą stała się współobecność rozmaitych obyczajów, religii, kultur i kontrkultur. Im jakaś manifestacja zachodniej nowoczesności okazywała się bardziej nachalna i rozwydrzona, tym silniejszą rodziła chęć pokazania tradycji i oddania hołdu poczciwości starowieku. Splątało się to z podziałami zarysowanymi kampanią przed wyborami do Wielkiego Churału Strychu i Centralnej Pałaty Plemion. Oczywiście zapiekłość dawnych zwad klanowych, rodzinne zemsty i konkurencyjne napięcia związane z handlem odurzającym zielem – to wszystko trwało w pełnym nasileniu, ale też formowało chwiejną równowagę dynamiczną, która w takich okolicznościach jak finał mistrzostw Strychu Świata w polo mogła uchodzić za coś więcej niż za tolerancję, za harmonię zgody po prostu.

Zdawać się mogło, że nieboskłon przyjął przesłanie pokoju – na bladym błękicie świeciło przymglone słońce, wiał słaby południowy wiatr, na tyle rześki, by utrzymać w ruchu proporce na masztach. Za szmaragdową murawą stadionu żarzyły się żółte żerdzie ogrodzeń, za nimi widniały kolorowe grupki widzów, których nie stać było na bilety na trybunę, i dalej pustki łysych łańcuchów górskich, bure, ochrowe, rdzawe, dalsze i dalsze jeszcze, coraz bardziej rozmazane i dymne, śpiewające milczącą pieśń o kraju umęczonym wojną, a niepokonanym. Cisza bez wystrzałów, tylko ptaki w górze, żadnego samolotu.

– Przyszli! – szepnęła Szoszanna do Blandi. – Simona umie się ubrać!

Prawda. Simona de la Fosse przybyła do Dżamijabadu jako dyplomowana ulemka Fatima Muzari i jeszcze niedawno próbowała zabłysnąć jako duszpastuszka i autorytet duchowy. Teraz pokazała się w innym świetle, objawiła się jako trendsetterka, liderka mody i obyczaju.

Była w tym jakaś dwoistość, pewnie w smak postmodernistom, gdyby to posmakować mogli. Co dzień z wieżyc nad Dżamijabadem rozbrzmiewał jej nagrany na dysk sopran, językiem Koranu, ale z wyraźnym akcentem z szesnastej dzielnicy Paryża. Ten głos wzywał wierne, a także wiernych do modlitwy. A tu – ta sama Simona-Fatima, w dyskretnie haftowanym piaskowym kostiumiku w stylu safari, wystylizowana jak na okładkę „Vogue'a", rozsiewająca dyskretny zapach perfum Marrakech. W uszach klipsy w formie diamentowych półksiężyców, a w śmiałym – awanturniczym nawet – dekolcie platynowy krzyżyk. Simona de la Fosse, wsparta o ramię generała Zakrupy, usiadła niedaleko, wzięła lornetkę z jego rąk i śledziła pierwsze uderzenia gry.

Zespół lotników górował wyszkoleniem, ludzie Zuchara nadrabiali bojowością i ujeżdżeniem koni, ale szybko stracili parę punktów. Wtedy najdrobniejszy z zawodników drużyny Pieśń Spoza Gór, ubrany w siarkowo-żółtą bluzę i zielone szarawary, wysforował się naprzód, wściekle wymachując malletem. Jego skarogniada klacz szorowała prawie brzuchem po ziemi w szaleńczym cwale. Punkt, jeszcze punkt dla Pieśni. Nieudany kontratak Airborne Hero rozsypał się w połowie błonia. Gra stała się wyrównana. Trąbka ogłosiła koniec czakera, zawodnicy mieli teraz czas na zmianę koni.

Do generała Zakrupy podszedł barczysty szejk w pstrej, połyskliwej dżellabie i czarnym zawoju, a jego sylwetka wydała się Blandi znajoma. Usiadł przy Zakrupie, nachylił się do niego i coś cicho powiedział. Tembr jego głosu nie był obcy. Blandi rozpoznała generała Iwana

Czeremuchę. To, co powiedział, musiało być ważne, bo Zakrupa zerwał się, jak oparzony. Czeremucha też wstał. Rozmawiali przez chwilę, a potem, pogodzeni najwidoczniej, przyjaźnie podali sobie dłonie. Siedli teraz tak, że Simona de la Fosse była między nimi. Zaraz też podała lornetkę Iwanowi i zagadała coś, śmiejąc się beztrosko i uwodzicielsko.

W drugiej czakerze lotnicy brygadiera Larkina bronili się dzielnie, ale minuta za minutą tracili przewagę.

Blandi wstała, pożegnała się z Szoszanną i Leilą. Czterdzieści sekund później w boksach zmiany koni pojawiła się zakonnica z torbą sanitarną i wiszącymi na szyi lekarskimi słuchawkami. Właśnie ostry, radosny głos trąbki oznajmił koniec czakera, jeźdźcy zjeżdżali z boiska, z koni piana leciała płatami, potykały się, dyszały chrapliwie. Zakonnica skierowała się prosto ku zawodnikowi Pieśni Spoza Gór, temu w żółtej bluzie. Niezawodnym chwytem, zamieniającym staw skokowy w eksplozję bólu, zmusiła gracza do zejścia z siodła. A potem zabrała się do bandażowania mu głowy. Zdjęła z szyi słuchawki, wetknęła końcówki w uszy zawodnika i zaczęła szeptać do lejka nasłuchowego.

– Dej se siana, Daniela, dej se siana, jak mówiliśmy w Krakowie, na Salwatorze. Nie szalej w tej grze. Ja wiem, mecze ustawiane to trąd, ohyda. Ale jest wyższa konieczność. Siostra ty jesteś czy nie siostra, nieważne. Możesz być na zjeździe rodzinnym, możesz nie być. Załatwię na tak, potrafię załatwić na nie. Jak wygracie, słuchaj mnie! Jak wygracie, nie ma cię na ślubie, nie ma cię na zjeździe. Macie przegrać! Sprawa jest taka, że całą kasę klasztorku postawiłam na lotników. Przełożona i siostrzyczki są w porządku, nie orientują się. Ja hazarduję. Na siebie to biorę, ale kasy potrzebujemy jak kania dżdżu. Przyszedł czas założenia nowej fundacji zgromadzenia, daleko na północy, kasy trzeba. Na podróż, budynki, zagospodarowanie. I tyle, Daniela. Bierz drugiego konia i do gry. Bez szaleństw.

– Potem mi powiesz, co to jest ta fundacja – powiedziała Daniela. – Nie bój nic, nie bój nic.

Koniuch w płaskiej czapie z gór Frusz podprowadził do boksu wilczatego ogiera. Jednym skokiem Daniela znalazła się w siodle. Zrzuciła mokre od potu rękawice, chłopak podał jej nowe. Wzięła od niego malletę i nie oglądając się na Perfektę, poklepała końską szyję. Koń grzebał kopytami i rzucał łbem, rozdymał chrapy. Rwał się do gry.

*

Znowu do notebooka. Nie ma łączności, jest tylko obraz tej samej komórki. Glorenda wpatrzyła się w twarz na celu darta, gębę dziobatą od trafień – pewnie kiedyś widziała ją w telewizji. Poszła znów do kuchni i odsmażyła resztę kartofli. Jeśli reżyser wróci, niech sobie powącha patelkę. Myła sztućce, gdy w notebooku coś dźbągnęło. Pobiegła, potykając się. Była wiadomość: „Mamo, potem. Napatoczyła się Czarna D. Pamiętasz manikiurzystkę z ulicy Gontyna? Ona teraz mówi, że jest z rodziny. Czy jesteś pewna, że Pyrski jej komuś nie zrobił?".

Glorenda włączyła szyfrowanie hipertekstu, napisała zdawkowy komunikat o zwyżce cen akcji firmy POL-PÓŁBUT, ukrywając w nim dwie krótkie wiadomości.

„Po pierwsze, przelewy z Grupy Reasekuracji Prognoz Północnego Pacyfiku idą, ale nie dochodzą. Blokuje je, na wniosek Kontroli Antykorupcyjnej, Wysoki Komisariat Ochrony Konsumenta. Po drugie, Robert Pyrski...". Tu zamyśliła się. Robek lubił kobiety, imponowało mu wszystko zagraniczne: trunki, alkohole, ciuchy, auta. Dla samej zagraniczności jakiejś czarnej damy mógł. Ale nie powinien i to jest ważniejsze. Nie on był ojcem Blandi, ale też on właśnie – no, choćby on – powinien być. Robert był ojcem Laurenta-Wawrzka, więc ogólnie mógł być ojcem. Tym bardziej nie powinien być ojcem jakiejś. Do tego Joe O'Kohn związał się z kolorową. Na jedną rodzinę wystarczy. Wróciła do pisania.

„Po drugie, wykluczam udział Roberta Pyrskiego w powstaniu Czarnej Danieli. Wiem o niej aż za dużo od reżysera Skoreckiego. Ta dziewczyna chorobliwie kłamie, potrzeba czy nie potrzeba – kłamie. Oszukuje też. Nawet wtedy, kiedy przydałoby się walnąć prawdę – nie potrafi. Taka biologia. Taka blokada. Jestem pewna, że jakby jej pobrać krew do badania, okazałoby się, że ma fałszywe DNA. I mylnie podaje grupę krwi. Blandi, kochanie, bądź ostrożna. Nie wtajemniczaj jej w nic. Ja bez twoich przelewów wytrzymam, jakoś kombinujemy tanie zupy z matką Szymona".

Posłała i połączenie wygasło.

*

Dopiero późnym wieczorem – a Skoreckiego ciągle nie było – głos Blandi na krótko pojawił się w słuchawkach sprzężonych z dekoderem „piaskownicy": „Mamo, urządzamy chyba zjazd rodzinny. Daniela mnie przekonała, że wszyscy tak robią. Musimy, mamo! Jakiś zameczek, minimum czterdzieści sypialni, portrety przodków, sala kominkowa, drzewo genealogiczne i przyzwoity catering. Wina sama wybiorę, bo ty będziesz chciała na winie oszczędzić, a to wiocha i w ogóle. Nie halo. Ona jest po strasznych przejściach, Daniela, a i mnie przyda się jakaś odmiana. Przelewy załatwiam. Wykupiłam większościowy udział w krajowej firmie leczniczo-kosmetycznej, dredy coś tam, Daniela kiedyś robiła w tej branży i poradziła. Ta firma mocno weszła na giełdę i na tle ogólnej tendencji spadkowej jej notowania są rewelacyjne. Od nich dostaniesz wypłaty. Na pewno najpierw zaproponują bony na usługi czy coś takiego, to ty ich wtedy jak święty Michał diabła, niech wciskają kit komu innemu.

Mamo, słyszysz? Oni zarabiają na ośrodku sanatoryjnym z chirurgią estetyczną, sponsorują uczelnię i w ogóle musi tam być łeb menadżerski. Proponowałam mu, temu łebu, żeby zrobić crossing zwrotnego wsparcia finansowego. Poszedł na to w ciemno. Ja im żyruję pierwszą transzę inwestycyjną na lądowisko helikopterów w ośrodku, gwarancje w towarze, loco rampa odbiorcy, z kwitem celnym, oni mojej fikcyjnej firmie doradztwa dają zgodę na franczyzę i akonto pożyczki obrotowej wchodzą mi w koszta wynikowe z aportem gotówkowym. Podpisałam w twoim imieniu aplikacje o pożyczki na finansowanie konsultacji biznesplanu Domowych Obiadów dla Singlującej Kadry Kierowniczej, więc za dzień, dwa uruchomi się jakiś strumyczek i konto ożyje. Uważaj na siebie, mamuś, i nie bierz żadnych bonów towarowych!".

Od razu napisała odpowiedź: „Kochanie, nie rób niczego, co radzi Czarna D. I mów jej, że zrobiłaś, jak chciała. Na zjazd rodzinny na razie kasa zero".

Stanęła jeszcze na moment przed obrazkiem świętego Antoniego przypiętym do przepierzenia między kuchnią a jej pokojem, zajrzała do ciemnego i pustego pokoju Rafała, pomyślała o patelni z odsmażonymi kartoflami i dawno niewidzianym jajkiem sadzonym i poszła spać.

Kiedy rano otworzyła drzwi, w szparze futryny odkryła kopertę zawierającą skierowanie na promocyjną kurację do Instytutu Paznokci, z darmowymi bonami na dietę: pasta z brukwi i perzu. Przeczytała: „95 procent kobiet z wyższym wykształceniem poleca tę kurację przyjaciółkom" i wrzuciła kopertę do zsypu, razem z płytką DVD demo: „Przez wygląd do sukcesu, porównaj wygląd przed a wygląd po kuracji". Podarła załączoną ankietę do wypełnienia i też wyrzuciła.

Stała właśnie przy zsypie, kiedy zjawił się wojskowy. Miał czapkę uszatkę, co wywołało u Glorendy jak najgorsze skojarzenia. To już? – przemknęło jej przez głowę, gdy mundurowy wyjął jakiś papier ze skórzanego mapnika, który nosił „na skóśkę", wzór 1945. Przedstawił się jako starszy sierżant sztabowy. Miał jasne rzęsy i brwi, rzadkie blond wąsiki, niewinne spojrzenie mazowieckiego chłopczyka. Powiedział, że ma jechać z nim, aby odebrać z lotniska partnera i pokwitować. Odparła, że miała trzech mężów, ale partnera to sobie nie przypomina. A w głębi duszy przestraszyła się. Znaleźli go. Ma rozpoznać ciało Rafała Skoreckiego. Bo nie modliła się.

Ale nie było tak, bo zawsze jest inaczej. Faktycznie Skorecki, ale żywy, pod sankcją prokuratury wojskowej. Pod sankcją? Tak, pod sankcją. To dlaczego wypuszczacie? To już nie do mnie pytanie. Ale to nie mój partner. Byłby sublokator, gdyby płacił, ale nie płaci. Zabierajcie go sobie. Pani odbierze, pani pokwituje, a potem może pani uiścić opłatę skarbową i wnieść zażalenie na decyzję.

Potwornie był nijaki w tym zimowym stroju w maskujące ciapki, z rzemieniami na krzyż: tu mapnik, tu pistolet. Był jednak rosły, barczysty i porządnie ogolony.

– Gdyby się okazało, że go wymodliłam, byłoby to przerażające – powiedziała w te niewinne chabrowe oczęta po dwu stronach perkatego mazowieckiego nosa.

– Co robić, taka służba – odrzekł pogodnie.

Już wiedział, ten sierżant, że ona pojedzie, pokwituje i odbierze.

Myślała, że na Okęcie albo do Modlina. Pojechali gdzieś w lasy za Górą Kalwarią. Nie mogła się zorientować gdzie, dzień był szary, chmury wisiały nisko, drzewa stały omotane mgłą, przez asfalt przesypywały się esyfloresy śnieżnej krupy, szyby potniały. Siedziała z tyłu, za dwoma barczystymi żołnierzami w uszatkach. Oni nie gadali nic, a jej się przewalały przez pamięć mętne skrawki opowieści o stanie wojennym.

Szlaban. Już wysiadamy. To lotnisko. Lotnisko. A samoloty? Po co te pytania, tu czekać, przyjdą po panią. Kanciapa z bibułkowymi firankami, z paprotką, z orłem i husarskimi skrzydłami przy orle. Krzesła nie do kompletu, szafa z obłażącym fornirem, za szkłem spis inwentarza. Za oknem dżdżysty las. Tu poprosimy panią.

Większy pokój, pod ścianą siedzi Rafał Skorecki, marny, niewyspany, w bluzie z kapturem. Mina niewyraźna, taki maczo po wyżymaczce. Maczo wyżymaczo. Za biurkiem oficer, młody, czarniawy, ostrzyżony na łyso, ponury jak po przepiciu, sine balkony pod oczami, na biurku komputer. Wziął jej dowód, obejrzał, skserował. Pani podpisze: Skorecki sztuk jeden, pasek sztuk jeden, sznurowadła sztuk dwa. Pani zabierze pana artystę. I lepiej go pilnować, bo z Murzynkami się zadaje. Jego sprawa. Jego sprawa, jak tam pani uważa.

A daliście mu śniadanie? Jak się obywatela traktuje?! On tu nie jest na ewidencji. Ale jest u was. Fizycznie, faktycznie, na krześle siedzi. Obywatel, płaci podatki na wojsko. Tak się nie robi, panie sierżancie. To podporucznik, sprostował Skorecki. Wymamrotał tego podporucznika. A pan siedzi cicho, panie reżyserze. Ja poważnie. Podpiszę, odbiorę, ale ma być ze śniadaniem.

Jeszcze jedne drzwi. Stół pingpongowy i instrukcje postępowania w razie alarmu chemicznego, alarmu gazowego, alarmu atomowego. Dezaktywacja sprzętu sposobem poligonowym. Plansze dokoła. Sprzęt przenośny, sprzęt przewoźny. Sygnały świetlne, sygnały buczkiem. A na stół pingpongowy wjeżdżają ku chwale Ojczyzny talerze z bułkami, pasztetówka, margaryna, dżem truskawkowy, ser żółty, biała kawa. Festiwal, nie marzyła nawet. Talerze z siną obwódką każdy i napisem WOJSKA LOTNICZE. I jeszcze dzbanek przynosi pyzaty szeregowy w białym kitlu i białej mycce. Dolewka, proszę bardzo. Udaje, że nie widzi chowanych do torebki i w kaptur Rafała buł z pasztetówą, dolewa.

W samochodzie zasnęli od razu i Glorenda nie zdążyła się nawet zastanowić, czy bardzo jej przeszkadza ciężar głowy Rafała na ramieniu.

W mieszkaniu na Blaszanej zaraz wyłożyła na talerz zaharapcone bułki z pasztetówką.

– Mała rzecz, a cieszy – powiedziała, macając chłodne grzejniki pod oknem. – Gdzie pan był tyli czas, panie reżyserze?

– Pamięta pani czarny salceson od Szymona, pani dyrektor? Pani wtedy wspomniała o tym, że jest dla mnie fucha w czarnym kolorze. Szukałem plenerów do filmu akcji i jakoś poniosło mnie na wschód, w górskie okolice. Dużo słyszałem o pani córce, pani dyrektor.

Usiadła i odruchowo sięgnęła po bułkę. Opamiętała się, musi być na obiad. Skorecki usiadł naprzeciwko. Marzł, więc naciągnął kaptur na głowę, wyglądał jak szkic Giotta. Postać z tłumu w *Pocałunku Judasza*.

– Słyszał pan o mojej córce? Co takiego, panie reżyserze?

– Same dobre rzeczy, pani dyrektor. A także to, że ma duże kłopoty.

– Kto to mówił?

– A jaki jest rym do czarnego salcesonu? Jaki, pani dyrektor? Czarna Daniela. Zaprosiła mnie nawet na zjazd rodzinny.

– Ona nie jest z naszej rodziny, panie reżyserze. Pan też nie.

– Ale ja mam tylko robić dokumentację filmową, pani dyrektor. Kamera do wynajęcia.

ROZDZIAŁ ÓSMY

Szara sutanna Pana Boga

Gabinet profesora Bardyłacza był utrzymany w stylu ratanowo-słowiańskim. Zamiast biurka – cztery kamienne baby podtrzymują ogromny blat. Lity orzech, wysoki połysk. Wypoczynek w imitacji skóry, kolor ecru, ława okolicznościowa do kompletu ze stołem, na kamiennych misiach. Czy może baranach. W kącie baba siekierą z pnia wyciosana, cycki na cztery strony świata, jak Światowid, na jej wyciągniętych ośmiu łapach girlandy z rumianku, lawendy, mięty, dziurawca, prawoślazu, różnych innych leczniczych, żywcem prasłowiańszczyzna. Na ścianie diagram: „Synergia zabiegowa kąpieli, masażu polinezyjskiego, kulturoterapii". I drugi: „Wartości kaloryczne i mikroelementowe diety łętowej". Jeszcze na ścianie innej diagram: „Personel ośrodka w służbie gościom kurortu".

Szymon stał w drzwiach i czekał na polecenia. Profesor Bardyłacz był tu carem, a on ostatniej rangi ciurą. Uzdrowisko Miodunkowe Zacisze działało i przynosiło dochód dzięki porządkowi, dyscyplinie i hierarchii. Jak w wojsku. Tu nie mógł być dowcipnym żakiem, wolnym studentem Wydziału Znachorstwa i Ziołolecznictwa. Tu był tym, kim trzeba było, garsonem w jadalni, łaziebnym w pokojach kąpielowych, posługaczem w infirmerii, prasowaczem w pralni. Kim będzie za chwilę? Kimkolwiek. Wykaże się. Sprosta. Profesor Bardyłacz podjął go z ulicy, od durnej – roboty promocji seksbiznesu w zimnym deszczu. I zobaczy, że z zaplutych stołecznych trotuarów podjął diament.

Profesor Bardyłacz nie odrywał oczu od ekranu laptopa. Widział jednak nie tylko to, co na ekranie.

– Ma pan krzywo zapięty kitel, to nie robi dobrego wrażenia na kuracjuszach – powiedział. – Nie możemy sobie pozwolić na utratę pacjentów. Weźmiesz teraz meleksy i podjedziesz na lądowisko. Za dwadzieścia dwie minuty przyleci do nas Amerykanka, Debora O'Kohn, z czwórką dzieci. Zawieziesz ich do apartamentu w Łopuchowym Dworze, pomożesz się rozpakować, a potem zawieziesz na obiad do Karczmy pod Herbem Zawiszy, dziś mają obiad w reżimie kuchni francuskiej, dieta od jutra, jak wpłynie druga rata przelewu. Jak missis O'Kohn będzie pytała, gdzie inni kuracjusze, powiesz, że są na zabiegach. Od jutra wszystkie posiłki w Chacie Czarownic: polewka na łętach bez soli, podpłomyk z otrąb, przecier z brukwi i kłączy perzu. Deszczówka bez ograniczeń.

– Dzieci też? – spytał Szymon, który miewał miękkie serce.

– Jak najbardziej – twardo odpowiedział profesor. – Ratujemy istoty zatrute hamburgerami, colą, chipsami, zatuczone batonami. Tylko przykra, radykalna terapia ma tu sens. Ale musi być wsparcie, perswazja. Będziesz grupą wsparcia. Do odwołania. Czekaj! Nie skończyłem!

Bardyłacz podszedł do diagramu „w służbie gościom", podniósł okulary i spojrzał marsem na spisy.

– Weź Krupińskiego z ogrodu kwiatowego, bukiet zrobi – zakomenderował. – Weź Józka stajennego od koni cugowych, Marysię rudą z kuchni. Wszyscy w bieli medycznej, Marysia niech włoży habit i kornet, to nic, że jest w ciąży. I macie się na lądowisku ustawić do Amerykanki w kolejkę. Bo my tu robimy przełom, drogi Szymku! W tamtej służbie zdrowia była zasada: pacjent w kolejce do lekarza. W naszej będzie odwrotnie! Służba zdrowia w kolejce do pacjenta!

Pięć minut potem dwa meleksy z firmowymi proporczykami wiozły w stronę lądowiska ekipę witającą. Panowie mieli fartuchy z haftem na piersi: „Dredy Krajowe, Miodunkowe Zacisze, Ośrodek Uzdrowień, Medycyny Estetycznej, Fryzjerstwa i Imażu". Marysia trochę pachniała kapuchą, ale w stroju siostry miłosierdzia prezentowała się okazale i świątobliwie.

„Mówi się, że rude to fałszywe – pomyślał Szymon. – Dlatego się tak mówi, że bronić się trzeba, bronić przed tą niepojętą ufnością, jaka cię ogarnia wobec rudej".

Objął ramieniem plecy Marysi i poczuł, że może przetrzyma te wakacje bez wakacji, wypełnianie dziennika praktyk, sesję poprawkową i wszystko. Prowadził meleksa jedną ręką i sycił się światem.

Dzień był słoneczny, krajobraz cieszył wzrok tą wyjątkową przyjazną łagodnością, jaką mają tylko te strony Lubelszczyzny. Pofalowania wzgórz, podkreślone

krągłością kotlin, miały tajemniczy rys kobiecej czułości. Wiatr wachlarzowo rozczesywał łany złocącej się już
pszenicy, zielonkawego jeszcze jęczmienia. Horyzont za-
mykała ze wszystkich stron ciemna linia lasów. Droga ku
miejscu lądowania biegła esowato wzwyż. Betonowy krąg
otaczały starannie utrzymane rabatki nagietków. Obok
pysznił się widoczny z wysoka napis: MIODUNKOWE
ZACISZE www.dredynakredyt.pl, ułożony sposobem
koszarowym, z tłuczonej cegły i gipsowych pustaków,
i tą samą techniką wykonano potężnego orła z koroną.
Meleksy zatrzymały się precyzyjnie – przy wysypanej
okruchami kafli linii. I była chwila wytchnienia, oczeki-
wania, tylko ogrodnik Krupiński zdjął białe rękawiczki
i wyszorowanymi do różowości paluchami poprawiał coś
w związaniu bukietu.

*

Czarny śmigłowiec szturmowy, bez znaków rozpoznaw-
czych, nadleciał od strony Mętnego Jeziora w Kotli-
nie Dżungarskiej. Siostry pomyślały, że to ktoś z bazy
Wesoły Roger z prezentami, ale to nie było to. Salwa
z rakiet, odpalona w locie, minęła ich karawanę o parę
metrów. Kamyki czy odłamki zagrzechotały po karose-
rii najbliższego eksplozji auta. Napastnik poderwał się,
zatoczył krąg. Maszyna szła tak nisko, że pęd powietrza
spod wirnika wywiewał piasek spod sandałów zakonnic.
Wiadomo było, że tym razem nie chybi. Siostra Misteria
pociągnęła Perfektę.

– Na kolana, dziękujmy za łaskę męczeństwa!

Stojąca krok dalej, przy opancerzonym hummerze,
siostra Fidelia zawahała się ułamek sekundy, a potem

sięgnęła pod brezent skrzyni ładunkowej i wyciągnęła podłużny przedmiot. Wetknęła go w ręce postulantki z plemienia Ziao, jednej z tych, które zaledwie trzy dni wcześniej dołączyły do grupy.

– Chyba umiesz... Jakoś tak, ja nie patrzę...

Dziewczyna wymierzyła ze staroświeckiej wyrzutni Sting i nacisnęła spust. Fidelia odwróciła wzrok, ale Perfekta, ciągle jeszcze na klęczkach, pokryła, jak purpurowy kwiat eksplozji wykwita na korpusie czarnego śmigłowca morderców, huk, i już cały pojazd spada i wirując, odbija się od krawędzi jaru, wali się w ogniu jak grzechocząca kupa złomu, roztrzaskuje o skały na dwie części, gaśnie nagle, tylko gęsty dym kłębi się, unosi i rzednie. Złapała torbę sanitarną, bo widziała, jak z wraku wyczołguje się dwu okopconych, w poszarpanych kombinezonach. Dlaczego podnieśli ręce? Obejrzała się i zobaczyła za swoimi plecami dziewczynę z plemienia Ziao. To była ta bosa kruszyna w podartym chałacie, która odpaliła Stinga. Teraz zbliżała się z dubeltówką. Dwa ciasno splecione czarne warkoczyki sterczały bojowo, a oczy patrzyły bez litości spod zmarszczonych brwi.

– Dżizus – jęknął jeden z napastników. – Ou, maj dżizus...

– Maj god, maj god... Tak się nie robi... – zawtórował mu drugi, czołgający się na kolanach.

Ten był ranny. A obydwaj usmarkani ze strachu.

– Załatwię to – odezwała się młoda ze strzelbą. – Przecież nie ma co wlec ich ze sobą. Jak ksiądz Władeczek przyleci, to się wyspowiadam.

– Ty chyba nie słyszałaś, co mówią – powiedziała

Blandi, najłagodniej jak potrafiła. – Kochanie, tak się nie robi. Chłopaki, rzućcie broń, bo mała ma nerwowe paluszki, a nie chybia. Jesteście z Teksasu, ale konkretnie skąd?

– Z Flagstaff, Arizona – odparł ten mały, suchy, z tatuażem smoka na łysinie.

– Barstow, Kalifornia – dodał młodszy, z nadwagą. Był rumiany, miał śliczne błękitne oczy i nos jak kartofel.

– A ja myślałam, że takie chamy tylko w Teksasie – rzuciła siostra Perfekta. – Zachowujcie się ostrożnie. Ona jest Ziao. To plemię pasterskie, ale dużo polują. Na karawany też.

Jak się okazało, obydwaj potrzebowali nie tylko staranniejszego wychowania w młodości, ale i natychmiastowej pomocy medycznej. Krwawili jak niedorżnięte wieprzki. Blachy kokpitu nie miały miłosierdzia dla ich skóry. Perfekta i Fidelia założyły opatrunki na łap-cap, bo karawana nie mogła się zatrzymać na pustyni, trzeba było przed zmrokiem dojechać do wody. Stare samochody terenowe wlokły się w tempie towarzyszących im wielbłądów. Nieskończone kamieniste drogi nad urwiskami co chwila skłaniały siostry przy kierownicach do rachunku sumienia z całego życia. Setki metrów niżej szumiały białe nitki wodospadów, a w gardzielach dolin majaczyły wraki autobusów i ciężarówek. Na zakrętach piarg osypywał się spod kół. Pojmani i spętani napastnicy siedzieli pokornie, jak ogłuszeni, pilnowały ich młode postulantki. Blandi pomyślała sobie, że Misteria wahała się, czy je brać, a teraz proszę, jak się przydały.

Trzy dni temu, już za przełęczami pasma Kokszał Tau,

na pustkowiu smaganego wichrami płaskowyżu, wędrujące ku miejscu nowej fundacji siostry trafiły na nieźle zagospodarowany karawanseraj. W czajchanie słyszano już o nich – step ma swoje telegrafy, góry swoje. Gospodarze Tadżycy powitali przybyłe chlebem i solą, to znaczy gęstym pilawem i herbatą z łojem. Po dniu odpoczynku przyszła noc, a potem świt, który przyniósł niespodziankę. Obudziła je znana melodia – ktoś śpiewał *Barkę* w miejscowym narzeczu, potem *Idzie dysc* po polsku. Perfekta, Misteria i Fidelia ogarnęły się szybko i wyjrzały. Wokół zbudowanej z głazów i suszonych na słońcu cegieł czajchany mrowił się tłum kobiet i dzieci, a za ich plecami owce, wielbłądy, jeźdźcy w baranich czapach. Niebo jak ciemnobłękitna blacha, na marnych trawach i karłowatych krzaczkach srebrzył się szron. Łopotały cynobrowe, czarne i brunatne szmaty rozwieszone na krzywych drągach ogrodzenia – może suszące się pranie, a może plemienne proporce. Kto mógł przypuszczać, że za dwie granicami państwowymi, za trzema łańcuchami górskimi, trafią na koczowników Ziao, dobre tysiąc kilometrów od ich zwykłych szlaków. Spędziły z tą gromadą cały dzień. Drobniutka, wiecznie zakatarzona siostra Misteria wygłaszała pogadanki katechetyczne dla starszyzny i śpiewała z młodymi, Blandi prowadziła katechezy, omijając co trudniejsze problemy teologiczne, a potężna jak wieża stara siostra Fidelia zajęła się, jako doświadczona felczerka, biegunkami u niemowląt, potem problemami kobiet i dzieci, świerzbem, kurzajkami i tak dalej.

Następnego dnia musiały jechać dalej. Po godzinie

dogoniła karawanę grupka dziewczyn na osłach. Chciały się przyłączyć.

Siostra Misteria, przełożona fundacji, rozkazała, aby zawrócić. Wśród dziewczyn były niepełnoletnie, nawet dziesięciolatki. Tych nie mogłyby wziąć ze sobą, i to mimo zgody rodziców, którzy na miejscu powiedzieli: bierzcie, tanio je sprzedamy. Targi, kłótnie, płacze trwały cały kolejny dzień, w końcu za dżipa z cieknącą miską olejową dostały trzy zdrowe, bystre i bardzo pragnące innego losu dziewczyny. Wszystkie trzy zaklinały się, że ich powołanie jest autentyczne.

Pod wieczór, w dniu zamachu, karawana rozbiła namioty nad bezimiennym jeziorem. Dwie Ziao pilnowały zabijaków z helikoptera, a najmłodsza poszła łowić ryby na kolację. Siostry po modlitwie siadły przy ognisku. Perfekta przypomniała Misterii i Fidelii, że czas się pożegnać. W Dżamijabadzie przyrzekła matce przełożonej, że uwolni zgromadzenie od swojej osoby, odprowadzi siostry kawałek w stronę fundacji i pójdzie swoją drogą. Teraz nastała na to pora.

– Macie trzy dni drogi do osady Czatyr-Kul przy drodze z Sandaru do Biszkeku, to już Jedwabny Szlak. Tam kupicie jakieś jurty na siedzibę fundacji. Jedną więcej, bo ksiądz Władeczek będzie chciał na kaplicę. Ja pójdę na zachód, w stronę lotniska w Chodżencie. Zabieram tych… tych… nie mam słów przyzwoitych, aby określić. Poczekam na lotnisku, aż ktoś z żandarmerii polowej po nich przyjedzie, a potem… Do domu, do mamy wreszcie.

Już zaczęły się żegnać, gdy jedna z dziewczynek

nadeszła, niosąc dwa worki dolarów, znalezione przy jeńcach. Tatuowany Jeff miał większy, gruby Ulisses mniejszy. Rewidowanie pojmanych było, jak się zdaje, obyczajem plemiennym. A może tylko rozrywką znudzonych nastolatek.

– To za moją głowę – mruknęła Blandi. – Nie tanio.

– Spodziewałam się! – Misteria westchnęła, ocierając kapkę z czerwonego spiczastego nosa. – Modliłam się do świętej Róży z Limy o kasę na fundację. Plusquamperfekta dała za mało, śmiesznie mało. Fidelio, spisz akt darowizny. Bądź tak łaskawa po polsku, po angielsku i po łacinie. Jak oni się nazywają?

Akt głosił, że Ulisses Kapadopulos i Jeff Buretti wpłacają na rzecz fundacji odpowiednie sumy z pięcioma zerami. W zamian czerpać będą korzyści duchowe, pozostając we wdzięcznej pamięci. Podpisy darczyńców i świadków. Ziao podpisały się dziwnymi hieroglifami. A wyglądały na analfabetki!

Dzień w górach kończy się wcześnie. W dolinę napłynęła mroczna, zimna mgła, wierzchołki gór paliły się jasno. Śpiwory, namioty, jedzenie na parę dni.

– Będziemy się za ciebie modlić – zapewniła Fidelia.

– Ale uważaj na siebie – dodała Misteria. – Może kiedyś do nas wrócisz.

Uściskały się, potoczyła się jakaś łezka. A potem siostry ze zdumieniem ujrzały, że znika siostra Perfekta w podróżnym habicie, a Blandi w dżinsach i błękitnej puchowej kurtce oddaje „mężom krwi" ich przyboczną broń.

– Niech niosą, bo to ich. Te chłopaczki mają za sobą

bezstresowe wychowanie – powiedziała Blandi. – Teraz czeka ich parę dni czegoś wręcz odwrotnego. Coś w rodzaju szkoły wdzięku i przetrwania z dość wymagającym instruktorem. Objuczę ich i idziemy.

– Już słońce zachodzi, pójdziesz rano.

Blandi potrząsnęła głową.

– Wieczór to pora zwierzeń – odparła. – Ciekawa jestem, co opowiedzą.

Jeff i Ulisses dostali solidne plecaki, a nie było je wygodnie nieść na karkach i plecach ze świeżymi opatrunkami. Na pożegnanie próbowali się uśmiechać do zakonnic i dziewczyn Ziao. Marnie to wyglądało. Po dwustu metrach Jeff chciał ukradkiem zostawić na kamieniu colta czterdziestkępiątkę. Dostał ją zaraz z powrotem, razem z kamieniem do lewej kieszeni – dla równowagi.

– Pomyśl o amerykańskim podatniku, Jeff – powiedziała łagodnie Blandi. – To on ci kupił ten piękny przedmiot. Jak spojrzałbyś mu w oczy we Flagstaff, Arizona? A kamuszek dasz swojej mamusi, pamiątka z dalekiej podróży.

Już trzeciego dnia rano, po dwu dniach wędrówki przez górskie pustkowia, dydaktyczna trójka Blandi natknęła się na grupę amerykańskich żołnierzy. Byli to prawie sami czarnoskórzy, szczęśliwi, że wracają ze Strychu Świata do domu. Ich obydwie ciężarówki zaryły się w żwir przy pokonywaniu brodem rzeki Kis-narym. Czekali, że ich zabiorą, nie martwiąc się zbytnio, kto i kiedy. Siedzieli grupkami na porośniętym marną trawą wzgórzu i zjadali zapasy. Ktoś rozpoznał w Blandi siostrę Perfektę, więc musiała się zatrzymać i posłuchać paru kawałków z repertuaru soul and gospel. Poszukała dowódcy transportu, przekazała mu Jeffa i Ulissesa z krótkim komentarzem. Mieli niewyraźne gęby, gdy porucznik Thomas spytał, czy trzeba ich trzymać w kajdankach.

– Jak pan chce, poruczniku. Można im na początek zabrać broń i zmienić opatrunki. Polubiłam ich, ale zwracam. Wasz wielki kraj potrzebuje dzielnych żołnierzy.

Potem Blandi wyjęła z plecaka Ulissesa Kapadopulosa swój śpiwór i kosmetyczkę, dała chłopakom po buziaku i brnąc z trudem przez wartki nurt, przeszła w bród rzekę. Lodowata mleczna woda wypływała z niedalekich lodowców Gór Fańskich. Po uda, po pas…

Wielu żołnierzy wstało i śpiewając *Highway to Heaven* machało oddalającej się sylwetce. Rzeka szumiała jak sto wodospadów i Blandi nie słyszała śpiewu.

*

– Co ze Skoreckim? – spytała Blandi.

Siedziały w mroku, salę jadalną w kształcie litery L oświetlało jedynie okienko do kuchni. Tam było jasno, dziewczyny kończyły porządki, pobrzękiwały garnkami.

– Co ze Skoreckim? – powtórzyła Blandi po chwili ciszy. Słychać było tylko, jak Glorenda miesza łyżeczką herbatę bez cukru. – Czarna Daniela mówiła, że to ziomal do rzeczy – dodała Blandi po następnej dawce milczenia.

– Po co pytasz dwa razy, nie jestem głucha. A wiesz, ta Czarna to jednak rodzina. Była tu jej babka, Zabiełłowa. Czyli babcia Tuńka z Wilczej Karczmy. Najpierw radziłyśmy, jaki to ma być ten zjazd rodzinny, ze ślubem prezydentowicza. Potem zgadałyśmy się na okoliczność

Podbipiętów z Mironuszek pod Surkontami. W powstaniu styczniowym Hirek, młodszy brat prapradziadka Prokopa z Mironuszek, walczył w oddziale Grzegorza Aleksandrowicza z Łotwy. Jak go ranili w potyczce nad Błędzianką, nikt nie myślał, że przeżyje.

Umilkła i zapatrzyła się w ciemne okno, tak jakby widziała tam ludzi w rogatywkach, dźwigających z pobojowiska porąbanego kozackimi szaszkami Hirka. Blandi spojrzała na matkę i pomyślała, że musi ją posłać do fryzjera. Śliczna niedościgle, a zaniedbuje się.

– I co z tym... Pochowali go tam? – spytała.

– Nie. Nie wiedzieli, co z nim zrobić, i zostawili na umieranie we dworze w Dębogrudzie, najbliżej. Tam gospodarzyła Malwina Sas, z domu Skirmuntówna, wdowa po Cyrylu Sasie, z córką Zofijką. Wdowa i córka nie dały umrzeć młodemu i przystojnemu powstańcowi. Nasz Hirek Podbipięta tam został, przyczaił się, przybrał nazwisko Sas, żeby nie trafić na Sybir. Jakoś po roku urodziło się dwu chłopaczków, jeden syn wdowy, drugi jej córki. Dorastali jako Kacper Sas i Florek Skirmunt, obydwaj skończyli studia w Dorpacie. Kacper Sas był potem kanonikiem w Wilnie, już za Polski. Florek Skirmunt sprzedał Dębogrudę, pił, hulał, aż trafiła kosa na kamień. On trafił na młynarzównę z Wilczej Karczmy koło Czarnosielca. Do dziś stoi tam młyn i mieszka tam dalej starsza siostra babci Tuńki, Anna. I to rodzina, nie koligacja, ale rodzina, płynie w nich krew Podbipiętów pieczętujących się Kitawrasem. Tuńka Zabiełłowa przecież de domo Skirmunt.

– Czyli bez udziału Roberta Pyrskiego, ale rodzina? I skąd ona taka czarna ta Daniela?

. – Geny po ojcu. Jakoś tak się jej mamie trafiło w podróży. Sama podróżowałaś, to wiesz. Z tym, że Pyrskiego tu wykluczyć nie można, bo on jest właśnie ojcem jej sąsiadki, Toli Tarasiuk. Będzie teściem prezydentowicza, Gracjana, ten mój były.

– No to wychodzi, że Daniela kłamała, ale jakiś procent... Pójdę, zgaszę światło, bo dziewczyny z kuchni już poszły. A na początku pytałam cię, mamo...

– O Skoreckiego! Przecież nie mam sklerozy! Przynieś jeszcze po herbacie.

Do herbaty były dwa kawałki drożdżowego z kruszonką, przesuszone, ale ciągle smaczne. Blandi zjadła pół, Glorenda półtora, starannie zgarnęła okruszki z kraciastej ceraty na garstkę, podeszła do okna i wysypała na parapet, dla ptaków. Był taki obyczaj w Mironuszkach pod Surkontami, trwał na Gontyna w Krakowie.

– Reżyser pisze scenariusz – powiedziała, siadając znowu naprzeciw córki. – Jak dziecko chore na ospę wietrzną. Taki jest. Wysłuchać, pocieszyć, ugotować krupnik na kościach. No, dziecko nie zjadłoby trzech talerzy krupniku, jeden za drugim, bez kontaktu wzrokowego z osobą podającą. A ty? Ciągle kupujesz?

Blandi westchnęła.

– Giełdy patrzą mi trochę na ręce. Muszę inwestować, bo będą podejrzenia. Jak przeinwestuję, wybaczą. Skupuję przede wszystkim stare polskie marki, te dobroliny różne, wódki Baczewskiego, strójwąsy, pepegi, Winiary, Herbewo, Gerlach, Fraget, Dwikozy, wiesz.

Imażowo zależy mi, aby płacić podatki w kraju. To po redukcjach będzie mniej więcej tyle, ile płacę jako podatek rządom w Manili i Makao. Muszę kupować. Lokaty bankowe robią się zbyt ryzykowne. Kupuję, wynajmuję firmy, co nam robią restrukturyzację, ochronę znaku firmowego i patentów technologicznych. Ich eksperci ocalili masę zapomnianego know-how, receptury, tradycje sprzedaży. Wiesz, po co w butach wkładało się między warstwy skóry wiór dębowy pomazany kalafonią?

Glorenda potrząsnęła głową. Wzrok miała nieobecny, twarz chmurną.

– Po to, żeby męskie meszty miały „skryp". Żeby skrzypiały, bo to godne chodzenie, ze skrypem. Każda firma obuwnicza miała na to swój patent.

Opowiadanie o skrzypiących butach nie rozweseliło Glorendy.

– Uważaj, Blandi. Pamiętaj, kły i pazury – powiedziała. – Wolny rynek to bajka. Dżungla, kłębowisko żmij. A przez ten internet wszędzie zostawia się ślady.

– Jasne. – Blandi posłała matce najbardziej lekkomyślny ze swoich dwudziestoletnich uśmiechów. – Jasne. Czuję ich oddech na plecach. Gubię tropy. Oczywiście muszę zakładać spółki córki, spółki wnuczki, spółki siostrzenice. Rozmaite komisje w Warszawie i Brukseli nie mają nic innego do roboty, tylko pilnują, abym nie skrzywdziła tych starych dobrych wielkich europejskich banków. Przez to przelewy z Grupy Reasekuracji Prognoz Północnego Pacyfiku nie dochodzą do ciebie. Tak jak pisałaś, blokuje je Wysoki Komisariat Ochrony

Konsumenta. Chciałabym tego konsumenta na własne oczy zobaczyć…

– Ja mam moich konsumentów świątek piątek – powiedziała Glorenda. – Niby singlująca kadra kierownicza, a łyżeczki giną. Schowałam platerowe, będą mieszać aluminiowymi. Ale i tak ich lubię. Nawet tych, co nie płacą.

– Masz miękkie serce, mamo. – Blandi westchnęła. – Ja też bym chciała, ale muszę się bronić. Dredy, ta uczelnia i ośrodek Bardyłacza ciągle dają za dużo dochodu, przyjechałam coś z tym zrobić. Dochodowe inwestycje robią się podejrzane. Dlatego tam właśnie robimy zjazd rodzinny. To mocny kop promocyjny, taki zjazd z udziałem Pierwszej Damy i jej Męża Incognito, ślub prezydentowicza. Prasa kolorowa już szaleje. A jednocześnie poniesiemy ewidentne straty finansowe, które nas uwierzytelnią. Tylko bankrutom się ufa. Teraz w światowym rankingu ośrodków Spa and Pension skoczyliśmy do pierwszej pięćdziesiątki. Groźne. Musimy spaść poza pięćsetkę. W polityce monetarnej pozornie szukamy walut, które jeszcze są coś warte. A potem oni odkrywają, że wykupujemy banki upadających państewek. Nawet powstała już na ten temat praca naukowa. *The positive expansion impact in the failed states currencies policy.* Hindus napisał o naszych dredach, dla mnie bomba. Lans na ful.

– Chyba przeholowałaś, Blandi.

– Oczywiście, mamo. A mam inne wyjście?

– Od tygodnia widzę, jak sobie radzisz w kuchni, jak ustawiasz robotę w jadalni, jak przyjmujesz stołowników.

– Radzę sobie – przyznała Blandi. – Przecież mnie siostra Miranda przećwiczyła. W refektarzu nie było mowy, aby plamka na serwecie, okruszki na podłodze. I aksamitny spokój, prawda?

– Radzisz sobie i mogłabyś...

– Co, zostać tu z tobą? Obiady Domowe? Nie myśl tak! Jeszcze mi w głowie szumi tamto. Ośnieżone przełęcze, górskie pastwiska, huk spadających seraków, echo w górach, strzały. No i bazary... Jak tam pachniało! I kolory! Dlaczego nie nosisz tej wiśniowej bluzki z Dżamijabadu? Świetnie ci w niej!

– Daj spokój! – Glorenda westchnęła. – Do czego mam ją nosić? Do nalewania kapuśniaku? Powiedz lepiej, co ty planujesz.

Blandi roześmiała się, jakby usłyszała najlepszy dowcip.

– A co planuje świat? Spytaj go, mamo!

Glorenda poderwała się z krzesła i chwilę stała, z pociemniałą twarzą, z bezradnie opuszczonymi rękami. W tym swoim malinowym sweterku ze szmateksu na rogu. A potem rozłożyła ręce, podniosła głowę zakręciła się w miejscu, szmyrgnęła pantoflami, zatańczyła boso, znikła w tej części sali, która była za załomem muru. Blandi dogoniła ją tam. Zabrzęczało stare pianino. I długą chwilę tańczyły, grając jednocześnie, śpiewały, tańcząc, grały, śpiewając.

> *Przyleciała wrona wrona*
> *Do mojego do balkona*
> *I od rana darła dzioba*
> *Bo się wronie tak podoba*
> *A ja jeszcze chciała pospać*

Bo ja w nocy gdziesik poszła
Wrona o tym kracze z rana
Z kim ja w nocy tańcowała!
Przyleciała wrona, wrona...

Chwiejąc się ze zmęczenia, z pantoflami w rękach, poszły do kuchni, padły na krzesła przy kantorku z rachunkami i zamówieniami. Łapały oddech, co chwilę wybuchając śmiechem.

Glorenda nalała wody, dodała soku z jarzębiny. Blandi wypiła łyk i nagle uśmiechnęła się do wspomnienia. Napotkała pytający wzrok matki.

– Muszę ci powiedzieć, mamo, co mi się przypomina – zaczęła, ciągle jeszcze z trudem chwytając dech. – Jak żegnałam się z matką Plusquamperfektą, zrobiła mi oczywiście krzyżyk na czole, wtedy w Bangkoku. I powiedziała: „Jedź sobie, córuchno, a o nas nie zapominaj. Zakotłowało się tu, może przez ciebie, może tak musiało być. A teraz modlimy się, żeby ucichło, wojska pojadą, bazy obsiądą krajowi. Nie będzie ani bardzo dobrze, ani bardzo źle, świat o nas zapomni, w telewizorach będą inne wojny, inne kraje i ich nieszczęścia. Tak sobie myślę, że wpadniemy na dno kieszeni w szarej sutannie Pana Boga".

– Bóg w sutannie?

– Mnie też zdziwiła ta szara sutanna i dowiedziałem się, że Plusquamperfekta w nią wierzy całkiem prywatnie. Mówi tak: „Pan Bóg w te różne błękity, biele, czerwienie, purpury ubiera się, jak pozuje do świętych obrazów. Na co dzień, tak jak my w zakonie mamy granatowy fartuch. On ma szarą sutannę do roboty".

*

217

– Co to jest? – spytała Debora O'Kohn, a na jej kawowej buzi ukazał się rumieniec koloru czekolady. – Co to takiego?

– To *consomme* z kłączy perzu i krokieciki na otrębach z prosa – odpowiedział Szymon. Jego angielszczyzna mogłaby zadziwić nawet filologów z Yale. – Ale możemy podać coś tańszego. Albo od razu danie główne, pasztet napoleoński z łętów ziemniaczanych garnirowany marynatą z bedłek.

– A czy jest cola light? – spytała młodsza córka Debory, Sharon.

Szymon skłonił się uprzejmie i pokręcił głową. Do kelnerowania został ubrany w białą lnianą koszulę ze starannie zawiązaną białą muszką, prasłowiańskie bryczesy i fartuch w drobne, białe i czarne paseczki. Położył przed Sharon broszurę oprawną w korę brzozy, ze złotymi tłoczeniami.

– Proszę łaskawie rzucić okiem na menu – powiedział. – Jaśnie panienka zechce tam przeczytać, że dajemy europejską gwarancję na to, że podobnego napoju nie znajdzie jaśnie panienka nigdzie w promieniu pięćdziesięciu mil.

– Dla mnie befsztyk i frytki! – zakomenderowała Mabel, średnia córka Debory.

– Jeśli to żart, to nie na miejscu – surowo odparł Szymon. – Według tutejszych wierzeń, obecny stan gospodarczo-społeczny Europy to kara bóstw chtonicznych za torturowanie w oleju Świętego Grula. A rzeczowniki określające potrawy z zabitych zwierząt nie mogą być wypowiadane w Strefie Diety Łętowej profesora Bardyłacza.

218

– Chcę lody czekoladowe! – wrzasnęła starsza córka Debory, Berenice.

– Właśnie! – Twarz Szymona rozpromieniła się najbardziej uwodzicielskim uśmiechem. – Słusznie jaśnie panienka o tym przypomniała. Proszę rzucić okiem na tę broszurę pióra profesora Bardyłacza, O skutkach spożycia lodów i napojów produkowanych przemysłowo. Przepiękne ilustracje, galeria pacjentów z nadwagą. Ale ja osobiście polecam te obrazki, gdzie mamy barwne mikroskopowe zdjęcia tkanek, które zwyrodniały pod wpływem lodów czekoladowych. Tu! Komórki trzustki po prostu pożerają się wzajemnie. Może się przyśnić w nocy, prawda, jaśnie panienko Berenice?

– A gdzie mój Patryk? – zaniepokoiła się Debora O'Kohn. – Był tu przed chwilą!

Trzecia żona Józka Okonia, Afroamerykanka o irlandzkich korzeniach, ubrana była podobnie jak jej trzy córki z poprzedniego małżeństwa, w niezgrabne jaskrawe szorty i wzorzystą bluzkę ze sztucznego jedwabiu. Nawet Szymon widział, że ubierają się bez gustu. Czuł jednak, że da się z nimi wytrzymać, jeśli będzie się jak najczęściej zaglądać w przepastne czarne oczy fantastycznie zgrabnej Berenice. I myśleć o pocałunku tego afroirlandziego buziaczka.

– Patryk! Gdzie Patryk? – powtórzyła Debora.

Szymon rozejrzał się. Nie miał pojęcia, gdzie podział się ten ruchliwy smarkacz. Jadalnia w Chacie Czarownic była przestronna i dobrze oświetlona. Niskie pomieszczenie o ścianach z nieokorowanych bali świerkowych osłaniał szklany dach z ludowym malowidłem przedstawiającym eskadrę czarownic lecących na miotłach w stronę Łysej Góry. Stół z czarnego dębu wiślanego nakryty był płachtą z niebielonego lnu i otoczony wiklinowymi fotelami. Podłoga z nieheblowanych desek zarzucona wonnym tatarakiem. Na ścianie przybito bretnalami emaliowany emblemat Wolnej Wszechnicy Zdrowia im. Prof. Wilczura i Królowej Bony Sforzy ze stylizowanym na runy napisem: NASZE FAKTURY SĄ W PORZĄDKU.

Wszystko było, ale małego nie było. Szymon wiedział, że trzeba trzymać fason i kryć braki firmy. Odchrząknął swobodnie.

– Panicz był łaskaw zjeść grzecznie zupkę z perzu i w nagrodę otrzymał od zakładu za darmo godzinę ćwiczeń w miejscowych sztukach walki – oznajmił. – Szermierka na sztachety przeciw kłonicom to zapomniany, szlachetny kunszt. W tych okolicach jeszcze się go kultywuje. Panicz Patryk będzie się miał czym popisać w ojczyźnie Jeffersona i Winnetou. Przy okazji chciałbym poufnie przekazać wiadomość, że kuzyni szanownych państwa już się zjeżdżają. O świcie przybył ze swoim zespołem inny panicz Patryk. Patryk Pyrski, syn drugiego męża pani Glorendy, pierwszej żony pani męża. Patryk Pyrski gra na duduku gruzińskim w zespole heavyklezmetalowym Nalewki Brass Goys. Cudowna muzyka, jaśnie panienki będą kontente. A na dziś zapowiedziano przyjazd Laurentego Okonia, przyrodniego brata szanownych jaśnie panienek.

– Proszę natychmiast iść szukać mojego synka!

– Pójdę, ale za to panie łaskawie zjedzą. Kto nie zje obiadu, dostanie go na kolację. To żelazna zasada u nas.

Tymczasem mały Patryk O'Kohn zachwycony zwiedzał stajnie w towarzystwie mastalerza Józka i pomocy kuchennej Marysi. Głaskał miękkie chrapy koni, słuchał pilnie objaśnień w całkowicie obcym języku i z pełnym zrozumieniem jadł pajdę wiejskiego chleba z baleronem i pomidorem. Marysia dreptała za nim z kawałem miodnego plastra na talerzyku i z cichym marzeniem w sercu, aby urodzić tak piękne dziecko jak ten marchewkoworudy Murzynek.

– Kuń! No, powiedz „kuń"!

– Kuń! I'm Patrick Kuń!

– Jak ślicznie!

*

– Zdumiewa mnie pan, profesorze – powiedziała Blandi. – Ledwie się pan dowiedział, że przyjechałam, już takie zaproszenie. I ten stół, wcale nie kryzysowy, wcale nie dietetyczny. A cóż to takiego?

Bardyłacz podniósł się z fotela, wyszedł zza stołu i pochylił się nad dłonią Blandi. Pachniał balsamem Old Spice. „Samiec alfa – pomyślała. – A nawet alfa romeo!". Wysoki, słusznej tuszy. Lwia grzywa szpakowatych włosów nad czołem myśliciela, szare bystre oczy za szkłami oprawnymi w złoty drut. Ukraińska wyszywana koszula ze stójką, na to siwa czamara z szychowymi szamerunkami, zapinana na srebrne guzy. Wyprostował się, potrząsnął grzywą. Z ceremonialnym uśmiechem pomógł Blandi usadowić się przy jej nakryciu, poprawił odstęp między kieliszkiem do czerwonego wina a tym do szampana.

– Pyta pani o to?

Przysunął półmisek w stronę gościa.

– To swojskie, skromne danie. Przepiórki duszone w ziołach, pod pierzynką z białych trufli i sosu La Signoria. Mamy do tego białe wino z własnej winnicy w Górze Kalwarii, niezrównane. Widzi pani, skoro inni powołują specjalne strefy ekonomiczne, ja poczułem się w prawie ustanowić tu, w jadalni Rezydencji Wiązów, specjalną strefę gastronomiczną. Kryzys i dieta kończą się na jej granicach. Kropla wina?

Blandi skinęła głową.

– Zacznę od przepiórek.

Była głodna. Przyjechała z Warszawy na kupionym okazyjnie skuterze, o którym można by powiedzieć tyle dobrego, że dotarł w jednym kawałku. Wybierała boczne drogi, czasem ścieżki wśród łąk i pól. Dzięki temu była pewna, że nie jedzie za nią żaden samochód. Ledwie zdążyła przebrać się w białą suknię z jedwabiu, dzieło zręcznych paluszków panny Li-Tachai. Teraz jadła z przyjemnością, wolała słuchać, niż mówić, rzucała pytania, odpowiadała monosylabami. Cieszył ją posiłek, a jeszcze bardziej potok słów, jakim zalewał ją gospodarz. Wiedziała, że nie zawsze mówi prawdę, liczyła jednak, że z tej powodzi przechwałek i obietnic wyłowi przygarść konkretów, fakty. Chciała zrozumieć, jak udaje się Bardyłaczowi utrzymywać dochodowość przedsięwzięcia, prowadzić uzdrowisko, klinikę medycyny estetycznej i uczelnię, pozyskiwać kredyty od upadających banków, zdobywać sponsorów wśród bankrutów w kraju i dusigroszów z Polonii.

– Mam zasadę, że lepiej wiedzieć, niż nie wiedzieć – mówił profesor. – Pacjenci rozmawiają, zwierzają się lekarzom, zaczepiają pielęgniarki, telefonują, łączą się z internetem. A przecież przyjeżdżając do nas, podpisują klauzulę najwyższej ufności, która w pewnym sensie upoważnia mnie do ojcowskiej troski o nich. A cóż to byłby za ojciec obojętny wobec córek i synów?! Fajtłapa! Albo co gorsza, bezduszny strażnik więzienny. Rozumiemy się?

Blandi skinęła głową i dołożyła sobie pieczeni z sarny z borowikami.

– A więc wiedzieć, tak?

– Wiedzieć i kojarzyć. Personalizować usługi przez antropomorfizację klienta. Przyjąć kołtuniastą strukturę świata. – Bardyłacz podniósł w stronę Blandi kieliszek z winem. – Mogę jeść niekraszone ziemniaki, pić deszczówkę. Ale muszę poszerzać wiedzę. Wiedzieć, jak się w tym plątawisku sprawy łączą z ludźmi, ludzie ze sprawami. Panią też wypytam. Taki generał Zakrupa... – ma pani jeszcze jakiś kontakt? Bo poznała pani?

Dla zyskania czasu Blandi uniosła do poziomu oczu swój kieliszek i posłała gospodarzowi promienny uśmiech.

– Proszono mnie o dyskrecję – powiedziała. – Czy to pacjent, czy ktoś z rodziny?

– Spotkaliśmy się – odparł Bardyłacz. – W miłych okolicznościach. Pewnie pani wie, że generał jest w Paryżu. Cichy ślub z Simoną de la Fosse, w merostwie szesnastej dzielnicy, orszak z konną asystą Gwardii Narodowej, ognie sztuczne, przyjęcie u Fouqueta, sześćset osób, tylko najbliżsi. Ostatnio dowiedziałem się, że teraz mieszkają w pałacyku w Saint Cloud, ona bardzo czynna naukowo, ma katedrę postkolonializmu genederowego

na Nowej Sorbonie i program telewizyjny dla imigran-
tek na France Trois. Wydaje w Hachette tom wspomnień
Byłam ajatollachą. A generał pozostaje nieco w cieniu,
ale jest wysoko cenionym ekspertem strategicznym od
konfliktów w Azji. Ostatnio był nawet zaproszony jako
konsultant przez attaché wojskowego księstwa Mona-
ko. Nie wykluczam, że oboje zjawią się u mnie, wtedy
z pewnością chcieliby zadzwonić...

– Świetnie. – Blandi dołożyła sobie szparagów. –
Przekażę panu mój nowy numer telefonu, jak tylko załatwię zmianę operatora. Niech mi pan przypomni jakoś,
dobrze?

*

Glorenda cicho otworzyła drzwi, zaraz za progiem zdjęła
pantofle i bezszelestnie wsunęła się do kuchni. W mieszkaniu było cicho i cicho było u sąsiadów, tylko jakieś
podniesione głosy dobiegały z ulicy Blaszanej i warkot
motocykli przebijających się objazdem przez Mydlaną
do trasy na Białystok.

Wyjęła z menażek obiad dla Skoreckiego i postawiła
na kuchni gazowej. Znowu nadstawiła ucha. U reżysera było cicho. Zajrzała przez okienko w przepierzeniu.
Świecił się tylko pusty ekran laptopa.

– Jest krem z porów i krokiety – powiedziała w nie-
przyjazny mrok. – Na drugie kacza noga, buraczki i ryż.
Nic nadzwyczajnego, ale podtrzyma akcję organizmu. Za
trzy minuty, panie reżyserze.

– Głęboko zobowiązany, pani dyrektor – doszedł głos
z ciemności. – Rozrzuciłem trzecią wersję. Sentymental-
na grafomania. I staroświeckie na dodatek.

Usłyszała, jak gramoli się z podłogi, potem błysło światło w łazience.

Włos miał zmierzwiony, oczy czerwone jak u królika. Jadł szybko, nieprzytomnie.

– Blandi mówiła, że nie ruszy pan z miejsca z tym scenariuszem, jeśli sam pan się gdzieś nie ruszy.

– Ta córka pani dyrektor wszystkie rozumy zjadła, co?

– Po co ten sarkazm? Niegłupia jest i życzliwa. Kawałek świata widziała. Ale przede wszystkim życzliwa. Ja mam nawet propozycję. Jeździłam w Krakowie na rowerze, dobrze mi to robiło. Tu jakoś nie wzbogaciłam się, nie kupiłam.

– Jak nie sprzedam scenariusza, nie pożyczę pani na rower. Taka jest prawda, pani dyrektor.

– Na razie nie trzeba, panie reżyserze. Mam klienta na moich obiadach, uczciwy, ale niewypłacalny. Z komornikiem na karku, jak większość tych bubków z dawnych rad nadzorczych. Jako spłatę za jedzone obiady dał mi jedyną rzecz, której mu komornik nie okleił. Bo była w warsztacie rowerowym.

– No to ma pani dyrektor…

– Nie mam roweru, panie reżyserze. A jak pan zgadnie, co mam, dostanie pan do herbaty pączka na deser. Wczorajszy, ale duży.

Rafał Skorecki potarł pięściami oczy, potrząsnął głową, jakby chcąc z niej zrzucić błahe zagadki.

– To są właśnie te rozproszenia, które mnie zabijają – powiedział.

– Mam tandem – oznajmiła Glorenda. – Nie mogę

225

na nim jeździć sama. Poza tym trzeba zmienić dętkę, a ja nie umiem.

– To są właśnie te rozproszenia – jęknął artysta. – A dętka jest?

*

– A to kto teraz przyjechał? – spytał Wacio Waciak.

– Pan sąsiad z Wilczej Karczmy, kowal Pirożek – odpowiedziała Blandi. – Poznałam go w okolicznościach warsztatowych, spawał mi tłumik. Nie przyjechał teraz, tylko teraz pozwolili mu się włączyć w orszak weselny. Nadkomisarz Kołatiuk sporządził diagram i sam tym kieruje. Chodź, tatko, wyżej, do altany. Tam cień, lepiej widać, bo górka.

Blandi ruszyła przodem, Waciak za nią. Patrzył z zachwytem na córkę. Nie było po niej znać trudów azjatyckiej przygody wojennej, odpoczęła po podróżach, znów miała długie włosy. Ubrana w popielate dżinsy i prosty błękitny top, bez biżuterii, promieniowała świeżością i elegancją. Waciak, w kremowym garniturze z grubo tkanej jedwabnej surówki, z zapiętą pod szyję bluzą zamiast marynarki, czuł się stary, dziwaczny i wygnieciony. Nie zdawał sobie sprawy, że chociaż jego pękata, krótkonoga sylwetka niespecjalnie prezentowała się w tym stroju, szpakowata broda i okulary w oprawce ze złotego drutu dodawały mu pewnej dystynkcji.

– Powiedz, mama przyjechała już? – spytał, doganiając córkę.

– Chyba nie. Chyba nie przyjedzie…

– Przecież to zjazd rodzinny!

– Na każdym zjeździe muszą być nieobecni, znasz to z polityki – odpowiedziała Blandi. – Glorenda wykupiła w końcu mieszkanie na rogu Blaszanej i Mydlanej, do spółki ze Skoreckim. Remontują, urządzają. Poza tym na parterze działa już jako fundacja stara firma Obiady Domowe dla Singlującej Kadry Kierowniczej. Jak mama nie wpadnie ze trzy razy do kuchni i ze dwa razy do jadalni, to nie jest spokojna.

– A myślisz, że my… że ona i ja?

Blandi objęła ojca.

– Tatko, szanujmy wspomnienia. Służyłeś ojczyźnie na wysuniętej placówce nowej obyczajowości seksualnej. Ciągnąłeś w stronę Europy, jak potrafiłeś. Europa cię w końcu odrzuciła. Nie mogłeś podejrzewać, że zmowa konserwatystów i zielonych ekoisalmistów utrąci twój projekt.

– To nie był żaden projekt – żachnął się Waciak. – Poproszono mnie, abym w Parlamencie Euro uzasadniał ustawę zezwalającą osobom homoseksualnym, żyjącym w związku z buddystami, na pełnienie funkcji eunuchów w gejowskich haremach sunnickich. Ustawa przepadła i Waciaka trzeba było zdjąć i schować. Ale Blandi, chyba nie przypuszczasz, że ja praktykowałem to wszystko…

– Cóż, ślad zostaje – skwitowała Blandi. – Myślę, że dlatego nie ma cię w planach życiowych Glorendy.

– A twoje plany? Tu pracuje twój były chłopak, nie?

Blandi wydęła kształtne wargi i spojrzała spod rzęs koso i chmurnie.

– Szymon? Ani on chłopak, ani były. Mój też nie. Kiedy go poznałam w Krakowie, był starszy ode mnie, ale czułam, że to ja jestem od niego ze trzy lata starsza. Teraz jestem starsza ze sto lat. Miły dyzio. Poza moim horyzontem. Wiesz, o sobie też powiem: ślad zostaje. A jeszcze cię spytam, odprawę dali? Tam w Brukseli?

– Dali, przyzwoitą – odrzekł Wacio.

– No to ci doradzę, jak inwestować. Przypomnij później. Nie powiem, że czuję, skąd wiatr na giełdach wieje, ale jest powołana przeze mnie Grupa Reasekuracji Prognoz. Ona sama może trochę przeciągu zrobić.

Ruszyli w górę żwirowaną ścieżką. Idąc, rozmawiali o tym, jak wybrać partnera i typ lokaty, jak dla startującej inwestycji zdobyć zastrzyk kapitałowy od instytucji z kręgu „soft power" i nie wpakować się przy tym w pułapkę „tax bubble". Tak gawędząc, doszli do secesyjnej altany na trawiastym wzgórzu. Stąd widać było formujący się orszak. Właśnie skromnymi zakurzonym autami nadjechało jeszcze kilkoro sąsiadów z Wilczej Karczmy. Ich pojazdy ustawiły się za długim rzędem kabrioletów prezydenckich, przybyłych incognito. Pierwsza Para, rzecznicy, kanclerze, doradcy, wianuszek celebrytów. Blandi zaczęła objaśniać ojca, co mógłby mu dać certyfikat ratingowy od agencji Spencer, Engels and Poor – ale Waciak już nie słuchał. Wiedza córki przerastała jego możliwości pojmowania, a do tego niecierpliwił się.

– A my zdążymy? Może już zejdźmy do auta?

– Spoko, tatko. Widzisz tamte białe wieże za lasem? Tam będzie ślub. W bazylice w Nałężu. Dowiedziałam się wszystkiego od profesora Bardyłacza, wczoraj do północy gadaliśmy o interesach. W bazylice posługują ojcowie z nowego Zgromadzenia Świętej Cecylii, świetni w gregoriańskim śpiewie. Wsiądziemy z profesorem na rowery i zdążymy. Orszak pojedzie aż do Pasiecza, tam mają most na Strągwi. A my przez kładkę w Mierzwicy Dworskiej, blisko.

Z altany przy muszli koncertowej widać było, jak sprzed Łopuchowego Dworu rusza orszak weselny. Na przedzie młodzi w zabytkowej bryczce, kiedyś jeździł nią jeden z przedwojennych prezydentów, Mościcki czy Wojciechowski. Brykę odnowiono starannie, teraz zaprzężona była w parę bułanych chłopskich koni w białych szorach z czerwonymi chwastami. Na koźle siedziała drobna postać ubrana w strój włościański z Podlasia, który słabo harmonizował z czarną czuprynką zaplecioną w dziesiątki warkoczyków.

– Albo ich wywróci, albo zawiezie do innego kościoła – powiedziała Blandi.

– Co? Dlaczego? – spytał Wacio Waciak.

– No, tato... Nie znasz Czarnej Danieli. Taka jest. Łagodność jej charakteru tak się ujawnia. Wczoraj przyszła do mnie, już spałam. Musiałam jej dać suchą koszulę nocną, spłakała się, że wykręcać. I dlaczego? Bo konia uwięzili i musi go ratować. Tam na Strychu Świata zakochał się w niej Kmicic. Przyjął sobie ksywę „Kmicic", ale naprawdę był watażką górskich bandziorów, nazywał się Abdullach Mihr-Mirzani. I ten typ wpadł w takie erotyczne zauroczenie Czarną Danielą, że wydała mu się dozgonną Oleńką Billewiczówną. Jak ona opuściła Strych Świata, to on z GPS-em w starym telefonie siadł na konia i fru. Nie ma złej drogi do mej niebogi. Tienszan, głodny step, kałmuckie pustki. Bezdroża, boczne trakty, jadł to, co ukradł albo upolował. Za Donem załamał się mostek, koń poraniony ciężko o beton, z drutem zbrojeniowym w nodze. Kmicic przyciągnął weterynarza, a ten: zastrzel. Nie zastrzelił. W każdym razie nie konia. Ziołami leczył, karmił, sam głodował. Potem siodło na własny grzbiet, konia za uzdę, doprowadził do Polski, dopiero tu, koło Dwerniczka w Bieszczadach, obydwu złapali pogranicznicy. Teraz Kmicic siedzi w ośrodku dla nielegalnych w Czudcu, a koń w jakimś więzieniu dla koni. Nieleczony. Daniela w rozpaczy, że się koń zmarnuje, kary baszkirski ogier, czterolatek, grzywa jak sztandar, głowa maleńka, nogi suche, żelazo nie koń. Załatwia. Wyjdzie za tego Kmicica, ostatecznie on ładnie tego konia ratował. Powiedziała, że na Schengen nie ma lepszej rady. Czyli dziś wesele tu, a za trochę znów. Przyjedziesz?

– Jak mnie zaproszą...

– Postaraj się. Włącz się w rodzinę. Jest taki czas, że jak w rodzinie nie masz oparcia, to żadne renty, żadne lokaty...

– A tam za bryczką młodych, za prezydentem, co tam...

– Rosomak z działkiem szybkostrzelnym. Bo panna młoda, Tola Tarasiuk, ma panieńskiego dzieciaczka. Śliczna dziewczynka. Ojciec, sierżant w jednostce specjalnej, poległ na Strychu Świata. Teraz mała ma dwa latka, uszyli jej mundur moro, z paradą jedzie za mamą. Koledzy z kompanii zwiadu ją wiozą. Będą na weselu, to zobaczę, czy kto znajomy.

*

Przepisy nie pozwalały na przewóz tandemu w wagonie z miejscem dla przewozu rowerów. Mimo to, po zapłaceniu kary i odegraniu trzyaktowej awantury z kontrolerami w Dęblinie, tandem dotarł do Puław, razem z załogą. Po tym wszystkim Rafał Skorecki milczał mrocznie. Glorenda długo próbowała tłumaczyć mu, że trzeba się odbić od dna, że droga do twórczego skupienia musi prowadzić przez najgłupsze rozproszenia. A do tego ci kontrolerzy – gęby jak z holenderskiego malarstwa. Karczemni włościanie Adriaena Brouwera. Samo życie. Odpowiedział po dłuższej chwili, że do jazdy będzie musiał podwinąć nogawki. Łydki miał całkiem białe, a skarpetki nie do pary.

– Dlaczego skręcasz w lewo, jak drogowskaz do Miodunkowego Zacisza kierował w prawo?

– Panie reżyserze! Tak skręcam, bo jadę z przodu i mam ręce na kierownicy. Ufa pan operatorom i montażystom, no tak czy nie? A ja jestem główną lokatorką na Blaszanej. Trzeba ufać, nawet wśród rozproszeń! I mocniej kręcić, tu pod górkę!

Obiecała Blandi, że pójdzie do fryzjera, i poszła. Teraz było jej przyjemnie, że wiatr buszuje po fryzurze, która kosztowała drogo, ale została dobrze zrobiona. Pogoda była świetna, na zmianę chmury i słońce, wiatr łagodny. Jechali szpalerem polskich topól, na dziurawym asfalcie mieli deseń skośnych cieni, pogubione kłosy pod kołami, jakieś zapomniane od lat nazwy na drogowskazach, Stary Pożóg, Klementowice... Mijały ich rowerzystki z zakupami, wyprzedził traktor wiozący wielką świnię na przyczepie. Wsie, horyzonty, linijka lasu. I w prawo jeszcze raz, na polną drogę, wzdłuż żywopłotu z morwy, przez sady bez ogrodzeń, trochę w dół, trochę w górę.

– Gdzie jesteśmy?

– Nie wiem, ale w Nałęczowie. Była tu kiedyś cukiernia w willi, z pysznymi lodami. Chcę pana reżysera jeszcze mocniej rozproszyć lodami.

Twórca filmowy upomniał się o obiad, musiał być więc obiad przed deserem. Cukiernia znana Glorendzie z dzieciństwa okazała się zmieniona nie do poznania, z kiczowatą nimfą w fontannie pośrodku ogródka, tam, gdzie kiedyś rosły kępy cisów. Inni ludzie, inne meble, inna muzyka. Coś utraconego wymykało się z rąk tym bardziej rozpaczliwie, że spod przebrania, spod maski, dobiegał szept przeszłości. Można było odnaleźć łyżeczkę z wygrawerowaną dawną nazwą, koronkowe „duszki" na kinkietach, karmnik dla ptaków na krzywej jabłoni gubiącej w trawę białe papierówki robaczywki.

– Nie za dużo było tego roweru na pierwszy raz? Coś pani dyrektor posmutniała. Zmęczona?

– Za dużo wszystkiego.

Przynieśli kawę i lody z bitą śmietaną. Smakowały jak kiedyś, a może to tylko smak nostalgii? Jadła i zerkała na Rafała, któremu dobrze zrobiły rozproszenia, ruch na powietrzu i solidny obiad. Coś w nim stopniało, supeł się poluźnił. Poszukała wzrokiem jego spojrzenia. Wypogadzał się.

– Naprawdę nie musimy tam jechać – powiedział.

– I dziś nie pojedziemy. Zostaniesz tu ze mną?

– Pyszne lody. Jasne, że zostanę, główna lokatorko.

Z Nałęczowa było blisko i łatwo trafić, wystarczyło nie jechać ani na Lublin, ani na Opole Lubelskie, ani na Wąwolnicę, ani na Bochotnicę. Zresztą każdy w tej okolicy mógł wskazać, gdzie jest Miodunkowe Zacisze, chociaż te wskazówki czasem okazywały się rozbieżne czy niejednoznaczne. Rafał i Glorenda byli jednak w tym nastroju, w którym zabłądzenie jest żartem, a odnalezienie drogi wisienką na torcie żartu. Nie śpieszyli się, bo postanowili się spóźnić, a rozmiar spóźnienia powierzyli przypadkowi. Spóźnili się na poloneza, który zaraz za młodymi prowadziła Para Wysokiego Incognito, spóźnili się na toasty wzbogacone zbyt długim przemówieniem ubranego w kontusz gospodarza – Bardyłacza. Trafili na moment, kiedy po oczepinach pękają reguły weselnego obyczaju, a żywioł radości bucha, jak chce i kiedy chce, coraz swobodniej rozsypując gości obrzędu w nieoczekiwane konstelacje i archipelagi. Z kępy tarnin na lessowym wzgórzu mogli obserwować ten spektakl, o którym nawet poważne media rozwodziły się potem tygodniami. Patrzyli więc, jak mieszały się towarzyskie asocjacje na rozległym błoniu między Karczmą pod Herbem Zawiszy a Rezydencją Wiązów. Przy karczmie, pod namiotami, stoły z jadłem i napitkiem, przy rezydencji stół dla VIP-ów, do którego teraz dosiadał się już, kto chciał. Na jednej estradzie ludowy zespół z Czekarzewic Pierwszych ciął oberki i wybuchał przyśpiewkami, na drugiej heavyklezmerzy pod batutą Patryka Pyrskiego wdzięczyli się nieskończoną rozmaitością kosmopolitycznego repertuaru, od salsy po hopaka, od flamenco do campowego punk rocka.

– A ta, co śpiewa z klezmerami, to kto? Dopiero co tańczył z nią prezydent.

Głos nie dobiegał do nich, ale to było jakieś wydarzenie, bo wszyscy, od tańców, od stołów, szli w stronę estrady, na której śpiewała drobna postać w czerwonej sukni bez ramiączek.

– Panie majorze! Panie Kołatiuk! – krzyknęła Glorenda. – Pan pozwoli do mnie, dość chowanego.

Z gąszczy przekwitłej wilżyny wynurzył się Kołatiuk w maskującym mundurze. Przy czapce miał gałązki.

– Tu nie wolno… – zaczął.

– Dobra, o tym potem. Chciałam tylko poprosić o pożyczenie lornetki. Wiedziałam, że pan tu jest, bo to najlepszy punkt obserwacyjny. Uczyliśmy się terenoznawstwa z tych samych skryptów Szkoły Wdzięku i Przetrwania.

Kołatiuk zdjął lornetkę przez głowę i podał Glorendzie.

– Służbowa! Tylko na chwilę.

– Jak służbowa, to zaraz przyniosą panu drugą. Chowaj się pan. Dobrej służby.

– Złożę doniesienie o podejrzeniu… – powiedział Kołatiuk niepewnie i zrobił krok w tył.

– Żebym ja też nie złożyła! Kryć się, Kołatiuk!

Cierpliwy stróż bezpieczeństwa znikł w gęstwie. Glorenda podała lornetkę Skoreckiemu. Wpatrzył się, rozpoznał. Głos śpiewaczki daleki jak skowronka za czwartą miedzą.

– Wiesz, kto to jest? To Tara Tarasiuk, pierwsza dama blues and soul. Chyba jako matka panny młodej. Pójdziemy posłuchać?

Glorenda opuściła głowę, nie wyciągnęła rąk po lornetkę, którą podawał jej Rafał.

– Po co ja tu pana przywlokłam, panie reżyserze?! Na pobojowisko mojego *curriculum vitae*. Jak musiałam wyrzucić Roberta Pyrskiego, to do niej poszedł. Na Eurowizję za Tarą jeździł. A ja zostałam z rocznym Patrykiem. Ma pan tu krajobraz po bitwie, zwłoki trzech moich niedobrych małżeństw. I konsekwencje. Owoce.

– Nie musimy chyba tego oglądać, mnie wystarczyło krótkie ujęcie w planie ogólnym – powiedział Skorecki i przysunął się o krok bliżej. – Wiesz, mam pomysł. Za Wisłę, co?

Glorenda też zrobiła krok w stronę filmowca. Stali teraz tak blisko, że mogliby się objąć.

– No to rzuć lornetę w trawę. On sobie znajdzie – szepnęła Glorenda.

Myśleli, że pojadą promem na drugi brzeg. Nie kursował, za niska woda. Ogarnęło ich zmęczenie, zniechęcenie. Wlekli się wzdłuż brzegu po wale powodziowym, prowadząc pojazd. Milczeli. Niespodziewanie wypatrzyli ścieżkę przez wikliny ku wodzie, na jej końcu – łódka. Tak spotkali starego wodniaka z pychówką. Omszała łódź wyglądała jak wodna trumna ze spróchniałych desek, a przewoźnik miał ceratowy kaszkiet, bladoniebieskie oczy, gębę pomarszczoną jak suszona gruszka. Niziutki, przygarbiony.

– Z takim rowerem? Proszę bardzo. Aż do Janowca? Pewnie, że do Janowca.

Pych miał ten stary, że hej. Jednym pchnięciem z zielonego cienia przybrzeżnych wierzb na wodę rozświergotaną słonecznym bilonem, pod słońce w koronie z różowych jak lody poziomkowe chmur. Blask bił przez oczodoły okien w zrujnowanej części zamku w Janowcu, smugami kładł się na wodzie. Skończyły się płycizny, stary wiosłował miarowo skosem przez nurt, łapy miał jak sękate konary. Po dnie łódki przewalała się od burty do burty butelka po piwie. Glorenda wyciągnęła rękę, sięgnęła do kierownicy, zadzwoniła rowerowym dzwonkiem.

– Co jest, obudź się! – szepnęła zagapionemu w wodę Rafałowi. – Znowu w drodze!

– Chyba ją mam – odpowiedział, zasłuchany w siebie. – Mam tę ostatnią scenę, do której powinien zmierzać cały scenariusz.

– To ją wrzuć do wody. Nie myśl o niej. Jak jest dobra, to się przypomni, jak marna, niech tonie na wieki. Panie kapitanie, skąd pan jest? Z Kazimierza?

Znowu było płytko, łódź szła na pych blisko brzegu, pod prąd.

– E tam, z Kazimierza. Z Kaliszan, het w górę. – Przewoźnik spojrzał pod słońce. – Ale rodem z tych, co w Kazimierzu wozili.

– Wiem, Glorenda, dlaczego nazwałaś pana kapitanem.

– Załóżmy się, że nie wiesz. Jako filmowiec niby wiesz wszystko. Wszystko niedokładnie.

Skorecki zanurzył dłoń w nurcie.

– Na pełnym morzu kapitan ma prawo… – zaczął, patrząc na małe wiry wokół palców. – Ma prawo związać kobietę i mężczyznę…

– Związać i rzucić w ocean? Przegrałeś!

– I wtedy okręt tonie, a orkiestra do końca gra znany marsz Mendelssohna-Bartholdy'ego – dopowiedział Rafał. – Zakład stoi, pan przecina, panie kapitanie.

PODZIĘKOWANIE

Ta powieść pewien czas – dla autora niemiłosiernie długi – nie mogła się ukazać. Jeśli jednak rzeczywiście trzymają Państwo w ręce jej egzemplarz – ukazała się. Autor dziękuje więc Panu Pawłowi Dunin-Wąsowiczowi, wydawcy i pisarzowi, za życzliwość, Panu Pawłowi Szwedowi, wydawcy, za przyjęcie dzieła do druku w Wielkiej Literze i Pani Agnieszce z Podhalańskiej Akademii Wiedzy za ostateczny w takich wypadkach argument.

SPIS TREŚCI